CW00409743

Le Roman de Renart

Adaptation d' après **Paulin PARIS**,
notes, questionnaires et Dossier Bibliocollège
par **Marie-Hélène ROBINOT-BICHET**,
certifiée de Lettres modernes,
professeur en collège

Crédits photographiques

p. 5 : *Les aventures de Maître Renart,* illustration de J. Pinchon, photo Jean-Loup Charmet. **p. 8 :** illustration du *Roman de Renart,* édité à Francfort (1572), photo Roger-Viollet. **p. 21 :** photo Roger-Viollet. **p. 32 :** photo Flammarion-Giraudon, Bibliothèque nationale. **p. 40 :** Adaptation de Paul Truffau, L'artisan du livre, édition 1942. **p. 48 :** photothèque Hachette. **p. 48 :** *Renart et les anguilles,* photothèque Hachette. **p. 59 :** *Le Roman de Renart,* coll. Le Jardin des rêves, illustration de Romain Simon, © Hachette Livre, 1954. **p. 67 :** Le lion et ses sujets, miniature du XIVe siècle tirée du *Roman de Renart,* photo Roger-Viollet, bibliothèque nationale. **p. 69 :** photo Giraudon, bibliothèque nationale. **pp. 78-79 :** photo Lauros-Giraudon. **p. 83 :** photo Edimédia. **p. 87 :** photo Bulloz, bibliothèque nationale. **p. 96 :** photo Giraudon, bibliothèque nationale. **p. 102 :** photothèque Hachette. **p. 106 :** *La pendaison de Maître Renart,* illustration de J. Pinchon, photo Jean-Loup Charmet. **p. 117 :** photothèque Hachette. **p. 134 :** photothèque Hachette.

Conception graphique

Couverture : *Laurent Carré*

Intérieur : *ELSE*

Mise en page

Médiamax

Illustration des questionnaires

Harvey Stevenson

Dossier pédagogique : www.hachette-education.com

ISBN : 978-2-01-167836-2

© Hachette Livre, 1999, 43, quai de Grenelle, 75905 PARIS Cedex 15.
Tous droits de traduction, de reproduction et d'adaptation réservés pour tous pays.

Le Code de la propriété intellectuelle n'autorisant, aux termes des articles L.122.-4 et L.122-5, d'une part, que les « copies ou reproductions strictement réservées à l'usage privé du copiste et non destinées à une utilisation collective », et, d'autre part, que « les analyses et les courtes citations » dans un but d'exemple et d'illustration, « toute représentation ou reproduction intégrale ou partielle, faite sans le consentement de l'auteur ou de ses ayants droits ou ayants cause, est illicite ».
Cette représentation ou reproduction par quelque procédé que ce soit, sans l'autorisation de l'éditeur ou du Centre français de l'exploitation du droit de copie (20, rue des Grands-Augustins, 75006 Paris), constituerait donc une contrefaçon sanctionnée par les Articles 425 et suivants du Code pénal.

Sommaire

DOSSIER BIBLIOCOLLÈGE

Introduction

En lisant *Le Roman de Renart*, vous allez rencontrer Renart, un goupil rusé et habile. Face à lui, Ysengrin, un loup sot et glouton, qui lui reproche d'avoir violé sa femme et insulté ses louveteaux et qui demande que le roi punisse le criminel. Aux côtés d'Ysengrin, les animaux trompés par Renart : Tiécelin, qui veut venger la perte de son fromage, Tibert qui veut réparation des coups qu'il a reçus, Chantecler et dame Pinte qui veulent venger la mort de dame Copette… Mais Renart a plus d'un tour dans son sac et ses aventures, pleines de rebondissements, réservent bien des surprises…

Les premiers épisodes de ce *Roman de Renart*, qui datent de la fin du XIIe siècle, étaient destinés à amuser le public par leurs histoires cocasses, pleines d'entrain et construites autour de faits amusants et bien observés. Rédigé non plus en latin, mais en langue romane – le français parlé à cette époque –, *Le Roman de Renart* connaît immédiatement un succès si éclatant, que, pour satisfaire le public, de nouvelles histoires de Renart doivent être écrites jusqu'au milieu du XIIIe siècle, c'est-à-dire pendant près d'un siècle. Le nom de Renart devient si populaire que, dès 1240, il remplace dans la langue le terme de goupil qui désignait jusque-là l'animal !

Et, depuis sept siècles, ce succès ne s'est jamais démenti. Comme les hommes du Moyen Âge, vous rirez des tours que se jouent Renart et les animaux ses compères. Puis vous découvrirez que les auteurs, qui ont donné aux animaux les traits, les comportements et les mœurs des hommes de leur époque peignent les réalités de la vie quotidienne dans la société médiévale des XIIe et XIIIe siècles. Chacun, du roi au simple vilain, y est présent. Et bientôt, vous verrez que le comique, s'il sert à faire rire le public sert aussi à le faire réfléchir. Les procédés comiques, en soulignant les travers des personnages et des institutions, permettent aux auteurs de dénoncer les maux de leur société et de mettre en évidence des défauts dont la vérité est universelle. Cette critique, tour à tour légère ou violente, n'est donc pas seulement celle de la société du Moyen Âge et oblige le lecteur du XXe siècle à porter un autre regard sur le monde qui l'entoure.

LES PRINCIPAUX ACTEURS DU *ROMAN DE RENART*

Le roi : Noble, le lion.
La reine : Fière, la lionne.
Le connétable[1] **du roi :** Ysengrin, le loup.
Son épouse : Hersent, la louve.
Les autres barons[2] **:**
– Renart, le goupil ;
– Hermeline, son épouse ;
– Malebranche, Percehaie, Rovel, ses fils ;
– Belin, le mouton ;
– Bernard, l'âne ;
– Grimbert, le blaireau ;
– Tibert, le chat ;
– Chantecler, le coq ;
– Tiécelin, le corbeau ;
– Couart, le lièvre ;
– Tardif, le limaçon ;
– Brun, l'ours ;
– Pinte et Copette, les poules ;
– Pelé, le rat ;
– Bruyant, le taureau.

notes

1. connétable : chef des armées royales.

2. barons : seigneurs les plus puissants du royaume.

La naissance de Renart et d'Ysengrin

Et maintenant, écoutez, si cela ne vous ennuie pas !
Je vais vous dire pour vous désennuyer comment vinrent au monde Renart et Ysengrin.

Un jour, je découvris dans un coffre un livre qui racontait de nombreuses aventures de Renart. Une lettre vermeille[1] arrêta mes yeux. Si je ne l'avais lue moi-même, j'aurais pris pour un homme ivre celui qui m'aurait raconté une telle aventure ; mais il faut croire ce qui est écrit. Celui qui n'a pas confiance dans les livres mourra déshonoré.

Cette lettre rapporte comment Dieu a chassé Adam et Ève du Paradis parce qu'ils avaient désobéi à ses ordres ; puis, comment il les prit ensuite en pitié. Il leur donna une baguette et leur expliqua que, s'ils avaient besoin de quelque chose, il leur suffirait d'en frapper la mer. Adam prit la

note
_____

1. vermeille : rouge vif.

8

baguette dans sa main et en frappa la mer sous les yeux d'Ève. Dès qu'il eut frappé, une brebis en sortit. « Dame, dit Adam, prenez cette brebis et gardez-la : elle vous donnera du
20 lait et du fromage. Ainsi nous aurons de la nourriture. » Ève pensait que si elle possédait une deuxième brebis, la nourriture serait plus abondante. Elle saisit la baguette et en frappa très fortement la mer : aussitôt un loup en sortit qui saisit la brebis et se sauva à toute vitesse vers la forêt voisine. Quand
25 elle vit qu'elle avait perdu sa brebis, Ève cria de douleur. Adam reprit la baguette et frappa la mer avec colère : un chien en sortit aussitôt qui s'élança à la poursuite du loup et revint avec la brebis. Tout honteux, le loup s'enfuit dans les bois. Malheureusement, il était prêt à recommencer le
30 lendemain s'il en avait l'occasion. Adam qui avait retrouvé son chien et sa brebis se réjouissait : ces deux animaux ne peuvent vivre longtemps que s'ils sont en compagnie des hommes.

Toutes les fois qu'Adam faisait usage de la baguette, nais-
35 saient des animaux qui pouvaient être apprivoisés ; toutes les fois qu'Ève s'en servait, naissaient des animaux qui suivaient le loup dans le bois et qui restaient sauvages. Parmi ceux-ci, naquit le sauvage goupil[1], au poil roux comme Renart. Animal rusé et malfaisant, le goupil trompait toutes les bêtes
40 du monde. Il ressemblait beaucoup à Renart, un homme passé maître dans l'art de toutes les fourberies[2] et qui donne son nom à tous ceux qui font métier de tromper et de mentir. Renart est aux hommes ce que le goupil est aux animaux : ils sont de même nature, ils ont les mêmes défauts, les mêmes
45 habitudes. Le goupil peut donc avoir Renart pour nom.

notes

1. goupil : ancien nom du renard.

2. fourberies : ruses, tromperies.

Or, Renart avait pour oncle Ysengrin, si grand pillard et si grand voleur, de jour comme de nuit, qu'il ressemblait au loup qui avait dérobé la brebis d'Adam. Tous ceux qui volent de nuit comme de jour sont donc appelés Ysengrin. Voilà
50 pourquoi, dans ce récit, le loup sera appelé Ysengrin.

(Branche XXIV, vers 1 à 106.)

Renart vole les bacons d'Ysengrin

Maintenant que vous savez comment sont nés Renart et Ysengrin, écoutez ce que je sais de la vie de chacun d'eux.

5 Malade et tout couvert de boutons, Renart arriva un jour chez son oncle.

– Beau[1] neveu qu'as-tu ? lui dit Ysengrin. Tu me sembles bien mal en point.

– Je suis malade, répondit Renart.

10 – Vraiment ! As-tu déjeuné aujourd'hui ?

– Non, sire[2], et je n'en ai pas envie.

– Dame Hersent, levez-vous vite et préparez-lui deux rognons[3] avec une rate[4].

Renart se taisait, la tête baissée ; il pensait avoir des bacons[5].

15 C'était leur fumet[6] qui l'avait attiré. Trois beaux bacons étaient en effet suspendus au faîte[7] de la salle. En souriant, il s'adressa aux bacons :

– Il faut qu'il soit bien fou celui qui vous a suspendus là-haut ! Savez-vous, mon bel oncle, qu'il existe des mauvais

20 voisins qui pourraient voir vos bacons et en vouloir leur part ? À votre place, je ne perdrais pas une minute pour les détacher et dire qu'on me les a volés.

– Bah ! répondit Ysengrin, tel peut les voir qui n'en aura jamais.

25 Renart se mit à rire et ajouta :

---

notes

1. beau, bel : en ancien français, cet adjectif, placé devant un nom de personne, signifiait cher.

2. sire : seigneur.

3. rognons : reins comestibles de certains animaux.

4. rate : organe logé dans l'abdomen et comestible chez certains animaux.

5. bacons : grosses pièces de lard fumé.

6. fumet : odeur.

7. faîte : partie la plus élevée de la salle.

– Vous ne pourrez pas toujours refuser à ceux qui pourraient vous en demander.

– Laissez cela, reprit Ysengrin. Je n'en donnerais pas même un morceau à mon frère, à mon neveu ou à ma nièce ; pas plus qu'à leur père, leur femme ou leur oncle.

Renart n'insista pas ; il prit congé. Mais, à la nuit, il revint tout doucement devant la maison d'Ysengrin. Tout le monde dormait. Il monta sur le toit, creusa une ouverture, passa, arriva aux bacons, les emporta, revint chez lui, les coupa en morceaux et les cacha dans la paille de son lit.

Cependant, le jour se leva ; Ysengrin ouvrit les yeux. Qu'est-ce là ? Le toit ouvert, les bacons, ses chers bacons enlevés !

– Au secours ! Au voleur ! Hersent ! Hersent ! Nous sommes perdus !

Hersent, réveillée en sursaut, se lève, échevelée.

– Qu'y a-t-il ? Quelle aventure ! Nous, dépouillés par les voleurs ! À qui nous plaindre ?

Ils criaient à qui mieux mieux, mais ils ne savaient qui accuser ; ils faisaient d'inutiles efforts pour trouver l'auteur d'un pareil crime.

Renart, après avoir bien mangé s'en vint prendre du bon temps en la maison de son oncle qu'il trouva fort mal en point.

– Bel oncle, dit-il, qu'avez-vous ? Vous me paraissez très en colère.

– Beau neveu, répondit Ysengrin, j'ai de bonnes raisons. Mes trois beaux bacons ont été volés.

– Bel oncle, c'est bien cela qu'il faut dire ! Criez dans toute la rue qu'on vous les a volés et ainsi personne ne vous ennuiera plus.

– Beau neveu, je te dis la vérité ; on m'a pris mes bacons et j'enrage.

– Allons, reprit Renart, ce n'est pas à moi qu'il faut dire cela.
60 Tel se plaint qui n'a pas le moindre mal. Je sais bien que vous
les avez mis en lieu sûr pour vos parents et vos amis.

– Est-ce que tu te moques ? Par la foi que tu dois à l'âme de
ton père, ne crois-tu pas ce que je dis ?

– Dites, dites toujours.

65 – Ce n'est pas bien, dit alors dame Hersent, de ne pas nous
croire. Si nous les avions, ce serait pour nous un plaisir de les
partager.

– Dame, je sais que vous connaissez toutes les ruses, pour-
suivit Renart. Pourtant vous avez beaucoup de perte : votre
70 maison est trouée. C'est par là que les voleurs sont passés.

– Mais oui, Renart, c'est la vérité.

–Vous ne sauriez dire autre chose.

– Renart, cela ne me fait pas rire, dit Ysengrin. Je suis furieux
que mes bacons aient été volés ; c'est pour moi une grande
75 perte.

Renart les quitta tout joyeux, tandis qu'Ysengrin et dame
Hersent restaient tristes et abattus.

Tel fut le premier méfait[1] que Renart accomplit alors qu'il
était enfant. Puis il perfectionna son talent et sa ruse, tant
80 pour le malheur de son oncle que pour celui d'autrui.

(Branche XXIV, vers 213 à 314.)

note
_____

1. méfait : crime.

Au fil du texte

QUE S'EST-IL PASSÉ AVANT LA NAISSANCE DE RENART ET D'YSENGRIN ?

1. Comment sont nés Renart et Ysengrin ?

2. Qui sont-ils ? Quel lien de parenté les unit ?

étymologie : **science qui étudie l'origine des mots.**

3. Complétez les phrases suivantes avec les adjectifs qualificatifs qui conviennent.

Renart, le goupil, est ....

Ysengrin, le loup, est ....

menteur – serviable – trompeur – gentil – sociable – voleur – malfaisant – bienfaisant – fourbe – utile – pillard – rusé

AVEZ-VOUS BIEN LU ?

4. Combien de fois Renart se rend-il chez Ysengrin ? Pour quelles raisons ?

5. Quel autre personnage est présent ? Quel est son lien de parenté avec Ysengrin et avec Renart ?

ÉTUDIER LE VOCABULAIRE

6. En vous aidant de votre dictionnaire ou d'un dictionnaire étymologique que vous trouverez au CDI de votre collège, donnez l'étymologie★ des noms « goupil » et « renard ». Pour quelle raison est-on passé du terme de « goupil » à celui de « renard » ?

Étudier le discours

7. La situation de communication : au début du texte, quels pronoms personnels sujets et COD correspondent à l'émetteur★ et au récepteur★ ? Quel verbe précise la relation existant entre eux ?

8. En vous aidant des pages 133 à 135 (« *Le Roman de Renart*, une œuvre unique et satirique »), dites qui étaient, à l'époque du *Roman de Renart*, l'émetteur et le récepteur.

9. Comment repère-t-on la partie dialoguée de ce récit ?

10. Peut-on comprendre cette histoire sans le dialogue ? Pourquoi ?

Étudier l'écriture

11. Complétez le tableau suivant.

	Situation initiale	Situation finale
Renart		
Ysengrin et Hersent		

12. Quelle décision, prise par Renart, conduit à la modification de la situation initiale ?

13. Quels événements successifs permettent de passer de la situation initiale à la situation finale ?

14. Dégagez les différentes étapes du schéma narratif★ du récit.

émetteur : c'est la personne qui envoie le message.

récepteur : c'est la personne à qui le message est transmis.

schéma narratif : suite des événements qui constituent les étapes d'un récit.

ÉTUDIER UN THÈME : LA RUSE

15. Relevez le conseil que Renart donne à Ysengrin lors de sa première visite ; puis le compliment qu'il lui adresse lors de leur deuxième rencontre ; enfin, expliquez la ruse mise en place par Renart pour que son vol ne soit pas soupçonné.

16. Quels traits de caractère d'Ysengrin, Renart a-t-il utilisés pour arriver à ses fins ?

À VOS PLUMES !

17. Résumez ce texte en une quinzaine de lignes, en respectant le schéma narratif.

18. Inventez une autre histoire de Renart et Ysengrin. Pour écrire celle-ci, vous utiliserez le schéma narratif que vous avez mis en évidence à la question 14.

Renart et Chantecler le coq

Un jour, Renart, amateur de méchants tours et habile en maintes[1] ruses, arriva près d'une ferme située au milieu d'un bois et abondamment peuplée de poules et de coqs bien gras, de canes et de canards, de jars et d'oies. Messire[2] Constant Desnois, un riche vilain[3], habitait près de la clôture. Sa maison regorgeait de viandes salées, de bacons[4] et de lard. Le vilain possédait aussi de grandes quantités de blé. Ses vergers donnaient en abondance cerises, pommes et quantité d'autres fruits. Le jardin était entouré d'une solide clôture de pieux[5] de chêne recouverts d'une haie d'aubépine. C'est là que messire Constant tenait ses poules en lieu sûr.

Renart s'approche doucement de la clôture. Mais les épines entrelacées l'empêchent de franchir la palissade. Il ne sait comment rejoindre les poules. S'il quitte l'endroit où il se tient accroupi, ou s'il tente de bondir au-dessus de la barrière, on le verra et, pendant que les poules se cacheront dans les épines, il sera pris avant d'avoir attrapé quoi que ce soit. Renart est très inquiet : il ne sait comment attirer l'attention des poules qui mangent devant lui. Il a beau se baisser, se redresser, rien n'y fait.

Enfin, dans la clôture, il découvre un pieu brisé qui lui permet d'entrer facilement. Il s'élance et tombe dans une plate-bande de choux que le vilain avait plantée là. Les poules, qui l'ont vu tomber, se dépêchent de se sauver.

À cet instant précis, messire Chantecler revenait d'une reconnaissance de l'autre côté de la haie. Fièrement, il

---

notes

1. **maintes :** de nombreuses.
2. **messire :** monsieur.
3. **vilain :** paysan.
4. **bacons :** grosses pièces de lard fumé.
5. **pieux :** piquets.

s'avança à la rencontre des poules, la plume abaissée, le cou
30 tendu et leur demande :

– Pourquoi cette hâte à regagner la maison ?

Pinte, la plus sage de toutes, celle qui pond les plus gros
œufs, se chargea de la réponse :

– C'est que nous avons eu bien peur.

35 – Et de quoi ? Qu'avez-vous vu ?

– Une bête sauvage qui nous fera du mal si nous ne quittons
pas cet enclos.

– Allons, dit le coq, ce n'est rien ; n'ayez pas peur ; restez ici
tranquillement.

40 – Oh ! Tenez, cria Pinte, je viens encore de l'apercevoir ;
je vous le jure.

– Vous ?

– Oui, j'ai vu remuer la haie et trembler les feuilles de chou
sous lesquelles il est caché.

45 – Taisez-vous, sotte que vous êtes, dit fièrement Chantecler.
Comment un goupil[1], un putois même pourrait-il entrer
ici ? La haie n'est-elle pas très serrée ? Dormez tranquille ;
je suis là pour vous défendre.

Et Chantecler s'en alla gratter un fumier qui semblait l'inté-
50 resser vivement. Il affectait une grande tranquillité, sans
savoir ce qui lui pendait au nez. Le fou ! Il monta sur la
pointe d'un toit. Là, un œil ouvert et l'autre clos, un pied
crochu et l'autre droit, il regarda çà et là, jusqu'à ce que, fatigué de veiller et de chanter, il s'endorme.

55 Alors, il fit un rêve étrange : il crut voir un objet qui tenait
une pelisse[2] rousse bordée de pointes blanches et la lui faisait
revêtir de force. Il se demanda pourquoi la pelisse était à
l'envers et pourquoi l'encolure en était si étroite. Chantecler

notes

1. goupil : ancien nom du
renard.

2. pelisse : peau de bête.

éprouva une si grande douleur qu'il en fut presque réveillé.

60 Il ne comprit pas pourquoi la pelisse avait le ventre blanc, ni pourquoi on y entrait par l'encolure, si bien qu'on avait la tête qui sortait par le bas et la queue qui sortait par l'encolure. Épouvanté, Chantecler tressaillit et se réveilla.

— Saint-Esprit ! dit-il, préservez mon corps de cette prison
65 et gardez-moi sain et sauf.

Et, à grande allure, comme quelqu'un qui n'est pas rassuré, il alla rejoindre les poules dispersées sous les buissons de la haie. Il appela Pinte.

— Ma chère Pinte, je vous l'avoue, je suis inquiet. J'ai peur
70 d'être bientôt la victime d'un oiseau ou d'une bête sauvage.

— Allons, dit Pinte, beau doux[1] sire, ne vous mettez pas dans cet état. Vous êtes comme un chien qui crie avant que la pierre ne le touche. Voyons, que vous est-il arrivé ?

— Je viens de faire un rêve étrange, et vous allez me donner
75 votre avis. J'ai cru voir arriver à moi je ne sais quelle chose portant une pelisse rousse, taillée d'une seule pièce. Elle me la faisait revêtir de force. La bordure avait la blancheur et la dureté de l'ivoire ; la fourrure était tournée vers l'extérieur ; j'entrais dans cette pelisse par l'encolure. Comme je cher-
80 chais à m'en débarrasser, je tressaillis et me réveillai. Ce rêve m'accable et me torture. Dites-moi, vous qui êtes sage, ce qu'il faut penser de tout cela.

— Eh bien ! dit Pinte, tout cela n'est que songe, et tout songe, dit-on, est mensonge. Cependant, je crois deviner ce que le
85 vôtre peut annoncer. L'objet porteur d'une pelisse rousse n'est autre que le goupil ; il veut vous la faire revêtir de force. Dans la bordure semblable à des grains d'ivoire, je reconnais

note

1. beau doux : en ancien français, ces adjectifs, placés devant un nom de personne, signifiaient « cher ».

les dents avec lesquelles il vous saisira. L'encolure si étroite de
la pelisse, c'est la gueule de la méchante bête qui vous
90 serrera la tête ; c'est par là que vous entrerez. Si la queue est
en haut, par tous les saints, c'est que le goupil vous mangera.
Voilà le sens de votre songe ; et tout cela pourrait bien vous
arriver avant midi. N'attendez donc pas, croyez-moi ; allons-
nous en, car, je vous le répète, il est là, dans ce buisson, épiant
95 le moment de vous happer[1].
Mais Chantecler avait repris confiance.
— Pinte, ma mie[2], vous êtes folle. Comment pouvez-vous
supposer que moi, je me laisse prendre par une bête cachée
dans notre jardin ! Bien fou celui qui s'épouvante d'un rêve.
100 — Sire[3], dit-elle, il en sera ce que Dieu voudra. Si cela ne se
passe pas comme je vous l'ai dit, je m'engage à ne plus être
votre amie.
— Pinte, dit-il, cela est hors de propos.
Chantecler retourna gratter son fumier et se chauffer au
105 soleil. Bientôt, il s'endormit à nouveau.
Quand Renart pensa qu'il était bien endormi (admirez
sa prudence et sa ruse), il mit doucement un pas devant
l'autre puis s'élança pour le happer d'un seul bond. Mais
Chantecler reconnut Renart : il fit un saut de côté et s'ins-
110 talla sur le fumier. Renart vit avec dépit[4] qu'il avait manqué
le coq et chercha comment le récupérer ; s'il ne le mangeait
pas, il aurait perdu son temps.
— Ah ! Chantecler, dit-il de sa voix la plus douce, ne vous
enfuyez pas, n'ayez pas peur. Laissez-moi vous dire comme
115 je suis heureux de vous voir en bonne santé, car vous êtes
mon cousin germain.

notes

1. *happer :* saisir.
2. *ma mie :* mon amie.
3. *sire :* seigneur.
4. *avec dépit :* avec déception.

Le renard, le coq et les poules, miniature du XIIIe siècle.

Pour montrer qu'il n'avait pas peur, Chantecler entonna une chanson.

— Oui, c'est bien chanté, dit Renart. Mais vous souvenez-
120 vous du bon Chanteclin qui vous a mis au monde ? Ah !
c'est lui qu'il fallait entendre. Jamais personne de sa race ne chantera comme lui. Il avait, je m'en souviens, la voix si haute, si claire qu'on l'écoutait une lieue[1] à la ronde, et pour prolonger les sons, il lui suffisait d'ouvrir la bouche et de
125 fermer les yeux.

— Cousin, dit alors Chantecler, vous vous moquez.

— Mais non, mon ami. Chantez sans crainte, clignez l'œil. Nous sommes d'une même chair et d'un même sang. J'aimerais mieux perdre une patte que de vous voir dans la
130 peine car vous êtes mon très proche parent.

— Puis-je me fier à vos paroles ? dit Chantecler. Éloignez-vous un peu et je vous chanterai un air. Il n'y aura pas un seul de mes voisins dans les environs qui n'entendent mon fausset[2].

135 Renart se mit à sourire.

— Allons, chantez à voix haute. Je saurai bien si vous êtes réellement fils de mon bon oncle Chanteclin.

Le coq commença un air, un œil ouvert, l'autre fermé, car il craignait Renart.

140 — Franchement, dit Renart, cela n'a rien de remarquable. Chanteclin chantait autrement. Dès qu'il avait fermé les yeux, il prolongeait les traits si bien qu'on l'entendait bien au-delà de l'enclos. Franchement, mon pauvre ami, vous n'en approchez pas.

notes

1. lieue : unité de mesure des distances ; une lieue vaut environ 4,5 kilomètres.   *2. fausset :* voix perçante.

145 Chantecler crut qu'il dit vrai. Il laissa aller sa mélodie, les yeux fermés, de toutes ses forces. Renart ne voulait plus attendre. Il s'élança, saisit le coq au cou et s'enfuit tout joyeux d'avoir trouvé une proie.

Pinte qui vit Renart emporter Chantecler se lamentait et se
150 désespérait :

– Ah ! Chantecler, je vous l'avais bien dit ; pourquoi ne pas m'avoir cru ? voilà Renart qui vous emporte. Ah ! pauvre de moi ! Que vais-je devenir, privée de mon époux, de mon seigneur, de tout ce que j'aimais au monde !

155 Cependant, au moment où Renart saisit le pauvre coq, la bonne femme de la ferme ouvrit la porte de son jardin. Le soir tombait et elle voulait rentrer ses poules. Elle appella Pinte, Bise, Roussette ; personne ne répondit. Elle leva les yeux et vit Renart emportant Chantecler à toutes jambes.

160 – Haro ! Haro ! s'écrie-t-elle, au Renart ! Au voleur !

Et les vilains accoururent de tous côtés.

– Qu'y a-t-il ? Pourquoi ces cris ?

– Haro ! crie de nouveau la femme, le goupil emporte mon coq.

165 – Eh ! pourquoi, méchante femme, dit Constant Desnois, l'avez-vous laissé faire ?

– Parce qu'il n'a pas voulu m'attendre.

– Il fallait le frapper.

– Avec quoi ?

170 – Avec votre bâton.

– Il courait trop vite ; même vos chiens bretons ne l'auraient pas rejoint.

– Par où est-il parti ?

– De ce côté.

175 Renart franchissait alors les haies ; les vilains l'entendirent tomber de l'autre côté, et tous se mirent à sa poursuite.

Constant Desnois appella Mauvoisin son mâtin[1]. On retrouva Renart, on s'approcha de lui. Cependant Chantecler était en grand danger s'il n'inventait une ruse.

180 — Sire Renart, dit alors le pauvre Chantecler, laisserez-vous ces vilains vous insulter ? Constant Desnois vous suit. Vengez-vous de lui. Quand il dira « Renart l'emporte », répondez « Malgré vous ». Cela lui fera honte.

Renart, l'universel trompeur, fut à son tour trompé. Quand 185 il entendit la voix de Constant Desnois, il cria très fort :

— C'est bien malgré vous que je prends votre coq !

Chantecler, dès qu'il sentit les mâchoires se desserrer, s'échappa, battit des ailes et s'envola sur les hautes branches d'un pommier voisin, tandis que dépité[2] et surpris, Renart 190 comprenait la sottise irréparable qu'il a faite.

— Ah ! mon beau cousin, lui dit le coq, voilà le moment de réfléchir sur les changements de fortune.

— Maudite soit, dit Renart, la bouche qui s'avise de parler quand elle doit se taire !

195 — Oui, reprit Chantecler, et que la malegoute[3] crève l'œil qui va se fermer quand il devait rester grand ouvert. Bien fou celui qui vous croit, Renart. Au diable votre cousinage ! J'ai vu le moment où j'allais le payer bien cher. Renart le traître, allez-vous en ou vous allez perdre votre pelisse.

200 Renart se moquait de ce qu'il lui disait ; il ne voulait plus lui parler. Il s'en alla sans plus attendre. Affamé, sans force, il s'enfuit le long du sentier, triste et désolé d'avoir laissé échapper le coq avant de l'avoir mangé.

(Branche II, vers 1 à 468.)

---

notes

1. mâtin : gros et grand chien de garde ou de chasse. **2. dépité :** déçu et en colère. **3. malegoute :** maladie des yeux.

Au fil du texte

AVEZ-VOUS BIEN LU ?

1. Établissez la liste de tous les personnages.

2. Que fait chacun d'eux ?

3. Relevez tout ce qui montre la vanité de Chantecler.

4. Retrouvez les étapes de la tactique de Renart pour attraper le coq.

ÉTUDIER LE VOCABULAIRE

5. Donnez l'étymologie★ du nom « Chantecler ». Pourquoi ce nom convient-il bien ici ?

6. Cherchez dans un dictionnaire le sens de l'adjectif « prémonitoire ». Pourquoi cet adjectif s'applique-t-il au rêve de Chantecler ?

ÉTUDIER LE DISCOURS

7. Dans le début du texte (lignes 1 à 48, « *Je suis là pour vous défendre* ») relevez les passages au présent.

8. Dites quel passage est :
– un présent de vérité générale★ ;
– un présent de narration★ ;
– un présent lié à la présence du dialogue.

9. Un texte descriptif : relevez tout ce qui permet de situer le cadre de l'action et de découvrir les préoccupations de Renart.

étymologie : science qui étudie l'origine des mots.

présent de vérité générale : présent utilisé pour une action ou un fait toujours vrai.

présent de narration : présent qui, dans un récit au passé, est utilisé pour rendre l'action vivante.

ÉTUDIER LE GENRE DE L'ŒUVRE

10. Par quelle phrase pourrait-on exprimer la morale★ de cette histoire ?

☐ À trompeur, trompeur et demi.

☐ L'occasion fait le larron.

☐ Les bons comptes font les bons amis.

Retrouvez dans le texte une phrase qui justifie votre réponse.

morale : leçon tirée d'un récit.

quiproquo : erreur qui fait prendre une chose, une personne pour une autre

ÉTUDIER L'ÉCRITURE

11. L'ensemble de la scène est comique parce qu'elle est construite sur :

☐ un quiproquo★.

☐ un retournement de situation.

Justifiez votre réponse à partir d'éléments du texte.

12. Dans les passages suivants, dites si le comique est lié au caractère du personnage, aux gestes ou aux mots.

« – *Taisez-vous, sotte que vous êtes, dit fièrement Chantecler* [...]. *Je suis là pour vous défendre.* » (Lignes 45 à 48.)

« *Il monte sur la pointe d'un toit. Là, un œil ouvert et l'autre clos,* [...] *il s'endort.* » (Lignes 51 à 54.)

« – *Mais non, mon ami. Chantez sans crainte, clignez l'œil.* [...] *car vous êtes mon très proche parent.* » (Lignes 127 à 130.)

ÉTUDIER UN THÈME : LA VIE À LA CAMPAGNE

13. Relevez tous les passages qui donnent une image précise de la vie quotidienne à la campagne.

À VOS PLUMES !

14. Imaginez un rêve prémonitoire qui annoncerait à Chantecler l'arrivée d'un événement heureux.

15. Donnez une autre fin à cette histoire. Votre texte commencera après cette phrase : « *Il s'élance* […] *tout joyeux d'avoir trouvé une proie.* » (Ligne 147.)

LIRE L'IMAGE

16. Quels personnages occupent le premier plan de la miniature* représentée p. 21 ? le deuxième plan ?

17. Pourquoi sont-ils placés ainsi ?

18. Dans quelle attitude caractéristique est représenté chacun des principaux personnages ?

19. Devant quel décor Renart est-il placé ?

miniature : peinture de petite dimension illustrant un manuscrit.

Renart et la mésange

Renart commençait à se consoler du méchant tour de Chantecler quand, sur la branche d'un vieux chêne, il aperçut la mésange. Elle avait déposé sa couvée dans le tronc de l'arbre.

5 Renart la salue ainsi :

– J'arrive bien à propos, commère[1] ; descendez, je vous prie ; j'attends de vous le baiser de paix, et j'ai promis que vous ne me le refuseriez pas.

– À vous, Renart ? fait la mésange. Si vous n'étiez pas ce
10 que vous êtes, si l'on ne connaissait vos tours et vos malices, j'accepterais. Et puis je ne suis pas votre commère.

– Que vous êtes peu charitable ! répond Renart, votre fils est bien mon filleul par la grâce du saint baptême, et je n'ai jamais mérité de vous déplaire. Si je voulais le faire, je ne
15 choisirais pas un jour comme celui-ci. Écoutez bien : sire[2] Noble, notre roi, vient de proclamer la paix générale ; plaise à Dieu qu'elle soit de longue durée ! Tous les barons l'ont jurée, tous ont promis d'oublier les anciens sujets de querelle. Aussi les petites gens sont dans la joie ; le temps est
20 passé des disputes, des procès et des meurtres ; chacun aimera son voisin, et chacun pourra dormir tranquille.

– Savez-vous, sire Renart, dit la mésange, que vous dites là de belles choses ? Je veux bien les croire à demi ; mais cherchez ailleurs qui vous donnera le baiser de paix.

25 – En vérité, commère, vous poussez la méfiance un peu loin ; je m'en consolerais, si je n'avais juré d'obtenir le baiser de paix de vous comme de tous les autres. Tenez, je fermerai les yeux pendant que vous descendrez m'embrasser.

notes

1. commère : camarade.
2. sire : seigneur.

– S'il en est ainsi, je le veux bien, dit la mésange. Voyons vos
yeux : sont-ils bien fermés ?

– Oui.

– J'arrive.

Cependant l'oiseau avait garni sa patte d'un petit flocon de
mousse qu'il vint déposer sur les barbes de Renart. À peine
celui-ci a-t-il senti l'attouchement qu'il fait un bond pour
saisir la mésange, mais ce n'était pas elle, il en fut pour sa
honte.

– Ah ! voilà donc votre paix, votre baiser !

– Eh ! dit Renart, ne voyez-vous pas que je plaisante ? Je
voulais voir si vous étiez peureuse. Allons ! recommençons ;
tenez, me voici les yeux fermés.

La mésange, que le jeu commençait à amuser, vole et sau-
tille, mais avec précaution. Renart montrant une seconde
fois les dents tente de la saisir.

– Voyez-vous, lui dit-elle, vous n'y réussirez pas ; je me jet-
terais plutôt dans le feu que dans vos bras.

– Mon Dieu ! dit Renart, pouvez-vous ainsi trembler au
moindre mouvement ! Vous supposez toujours un piège
caché : c'était bon avant la paix jurée. Allons ! une troisième
fois, c'est le vrai compte ; en l'honneur de Sainte Trinité. Je
vous le répète ; j'ai promis de vous donner le baiser de paix,
je dois le faire, ne serait-ce que pour mon petit filleul que
j'entends chanter sur l'arbre voisin.

Renart prêche bien sans doute, mais la mésange fait la
sourde oreille et ne quitte plus la branche de chêne.

Cependant voici qu'arrivent des chasseurs et des braconniers[1], accompagnés de leurs chiens. On entend le son des

note
___
1. braconniers : chasseurs qui
chassent sans autorisation.

cors, puis des cris retentissent : « *Le goupil ! le goupil !* »
Renart est en grand danger ; à ce cri terrible, il oublie la
60   mésange, serre la queue entre les jambes et s'apprête à
s'enfuir.

Et la mésange alors de lui dire :

— Renart ! pourquoi donc vous éloigner ? La paix n'est-elle
pas jurée ?

65   — Jurée, oui, répond Renart, mais non publiée. Peut-être ces
jeunes chiens ne savent-ils pas encore que leur père en ont
décidé ainsi.

— Demeurez, je vous en prie ! Je descends pour vous embrasser.

70   — Non, le temps presse et je cours à mes affaires.

(Branche II, vers 464 à 599.)

Renart et Tibert le chat

Renart avait gagné de larges fossés, et remettait à une autre fois sa revanche sur Chantecler, quand, au détour d'un chemin, il aperçoit Tibert le chat qui, seul et sans compagnie, s'amuse avec sa queue. Tout à coup, Tibert se rend compte que Renart est à quelques pas de lui : il l'a reconnu à sa robe rousse.

– Sire[1], dit Tibert, soyez le bienvenu !

– Moi, répond brusquement Renart, je ne te salue pas. Je te conseille même de ne pas chercher à m'approcher, car je ne te vois jamais sans désirer que ce soit pour la dernière fois.

Tibert préfère ne pas répondre et se contente de dire doucement :

– Mon beau[2] seigneur, je suis désolé d'être si mal en grâce auprès de vous.

Mais Renard n'est pas en état de chercher noise[3], car il est harassé de fatigue et jeûne depuis longtemps. Tibert, par contre, est frais et dispos ; sous de longues moustaches argentées apparaissent des dents bien aiguisées ; ses ongles sont longs et effilés. Son air décidé fait changer Renart de ton :

– Je viens bien t'annoncer que j'ai entrepris contre mon compère[4] Ysengrin une guerre terrible. J'ai retenu plusieurs vaillants soldats ; et, si tu voulais en augmenter le nombre tu ne t'en trouverais pas mal, car je prétends lui causer beaucoup de maux avant d'accepter la moindre trêve[5]. Bien maladroit celui qui ne trouvera pas avec nous l'occasion de gagner un riche butin.

notes

1. **sire :** seigneur.

2. **beau :** en ancien français, cet adjectif, placé devant un nom de personne, signifiait cher.

3. **de chercher noise :** de chercher querelle.

4. **compère :** camarade.

5. **trêve :** cessez-le-feu.

Renart et Tibert le chat, miniature du XIIIᵉ siècle.

Tibert, charmé du tour que prend la conversation répond :

30 — Sire, vous pouvez compter sur moi, je ne vous ferai pas défaut. J'ai de mon côté un compte à régler avec Ysengrin, et je ne désire rien autant que son malheur.

L'accord est bientôt conclu et la foi jurée. Les voilà faisant route chacun sur son cheval ; en apparence les meilleurs amis 35 du monde, mais, au fond, disposés à se trahir dès que l'occasion s'en présentera.

Tout en chevauchant, Renart découvre, au beau milieu de l'ornière[1] qui borde le bois, un piège tendu dans une souche de chêne entrouverte. Comme il prend garde à tout, il évite 40 le piège ; mais il espère y faire tomber Tibert. Il s'approche de son compagnon d'armes et lui dit en riant :

— Je voudrais bien, mon cher Tibert, éprouver la force et l'agilité de votre cheval ; montrez-moi comme il sait courir. Voyez-vous cette ligne étroite qui longe le bois ? 45 Élancez-vous bride abattue[2] droit devant vous ; l'épreuve sera décisive.

— Volontiers, répond Tibert, qui soudain prend son élan et galope.

Arrivé devant le piège, il l'aperçoit à temps, recule de deux 50 pas et passe rapidement à côté. Renart qui le suit des yeux s'écrie :

— Ah ! Tibert, votre cheval bronche, il ne garde pas la voie. Arrêtez-vous, et recommençons !

Tibert, qui ne doute plus de la trahison, ne fait pas de diffi-55 culté. Il reprend du champ, laisse courir son cheval jusqu'au piège, et saute par-dessus avec légèreté.

---

notes

1. ornière : trace faite par les roues d'une voiture dans un chemin.

2. bride abattue : à toute vitesse.

Renart comprend que sa ruse est découverte mais s'écrie néanmoins sans se troubler :

– Tibert, j'avais trop bien jugé votre cheval ; il est moins bon
60 que je ne le pensais ; il se cabre et va de travers ; vous n'en tirerez pas grand chose !

Tibert s'excuse du mieux qu'il peut ; mais, pendant qu'il propose de faire un troisième essai, voilà deux mâtins[1] qui accourent et aboient après Renart. Celui-ci, qui s'enfuit vers
65 les bois oublie la présence du piège ; mais Tibert, moins effrayé, saisit l'occasion, et pousse Renart qui tombe le pied droit dans le piège. La clef qui tend le piège saute, la fente se referme et voilà sire Renart qui se trouve pris. Tibert est fou de joie : il croit que son compagnon ne s'en tirera pas.

70 – Demeurez, lui dit-il ; demeurez, sire Renart et ne vous inquiétez pas de moi, je saurai me réfugier en lieu sûr. Mais ne l'oubliez pas une autre fois : À trompeur, trompeur et demi.

Disant ces mots, il s'éloigne, tandis que les chiens s'appro-
75 chent de Renart. Averti par leurs aboiements, le vilain[2] qui avait mis le piège accourt. Il lève sa lourde hache. Qu'on juge de l'épouvante de Renart ! Jamais il n'a vu la mort de si près ! Il manque d'être décapité ; mais, par bonheur, la hache s'abat sur le piège et l'ouvre. Aussitôt délivré, Renart
80 prend le large, disparaît dans la forêt, sans que les cris du vilain ou le glapissement désespéré des chiens soient capables de lui faire tourner la tête. C'est vainement qu'ils le poursuivent. Lorsque Renart a semé ses poursuivants, il s'étend presque inanimé sur le bord d'un chemin perdu. Peu à peu,

---

notes

1. mâtins : gros et grands chiens de garde ou de chasse.   **2. vilain :** paysan.

85 la douleur de sa blessure lui fait reprendre ses esprits. Il se rappelle avec épouvante et dépit la hache du vilain et le mauvais tour de Tibert.

(Branche II, vers 665 à 842.)

Au fil du texte

AVEZ-VOUS BIEN LU ?

1. Que veut Renart ?

2. Pourquoi renonce-t-il à attaquer immédiatement Tibert ?

3. Comment préfère-t-il s'y prendre pour parvenir à ses fins ?

4. Quels traits de son caractère reconnaissez-vous ici ?

5. Réussira-t-il dans son entreprise ? Justifiez votre réponse à partir du texte.

ÉTUDIER LE VOCABULAIRE ET LA GRAMMAIRE

6. « *Car je ne te vois jamais sans désirer que ce soit pour la dernière fois* » dit Renart à Tibert (lignes 10-11) signifie :

☐ je ne veux plus te voir parce que je te déteste.

☐ je ne te vois jamais sans avoir envie de te tuer.

7. Cherchez dans un dictionnaire le sens de « *foi jurée* » (ligne 33).

ÉTUDIER LE DISCOURS

8. Chacune des expressions suivantes appartient au langage soutenu. Donnez son équivalent en langage courant :

– « *harassé de fatigue* » (ligne 17) ;

– « *vaillants soldats* » (ligne 24) ;

– « *je ne vous ferai pas défaut* » (ligne 30) ;

– « *Il reprend du champ* » (ligne 55).

ÉTUDIER LE GENRE DU TEXTE

9. Quel proverbe utilise l'auteur pour exprimer la morale★ ?

10. Parmi les morales suivantes, empruntées à des fables de La Fontaine, dites celles qui pourraient être utilisées ici et expliquez pourquoi :
– « *Car c'est double plaisir de tromper le trompeur* » ;
– « *Aide-toi le ciel t'aidera* » ;
– « *Tel est pris qui croyait prendre* » ;
– « *Trompeurs c'est pour vous que j'écris :*
Attendez-vous à la pareille ».

ÉTUDIER L'ÉCRITURE

11. Dans cet extrait, relevez un exemple concernant :
– le comique de situation★ ;
– le comique de caractère★ ;
– le comique de mots★.

12. À quel moment pourrait-on basculer vers le tragique★ ?

ÉTUDIER UN THÈME :
LA PERSONNIFICATION

13. Relevez dans ce passage tout ce qui assimile Renart et Tibert à des êtres humains.

À VOS PLUMES !

14. À votre tour, racontez une histoire qui vous permette d'illustrer, à la manière des auteurs du *Roman de Renart*, le proverbe : « *À trompeur, trompeur et demi.* »

morale :
leçon tirée d'un récit.

comique de situation :
c'est la situation du personnage qui fait rire.

comique de caractère :
c'est le personnage qui est drôle.

comique de mots :
ce sont les jeux de mots, les jurons qui font rire.

tragique :
qui aurait une fin malheureuse.

MISE EN SCÈNE

15. Vous êtes metteur en scène de théâtre. Dites quels décors, quels costumes, quels accessoires vous utiliseriez pour jouer cette scène.

Renart et Tiécelin le corbeau

Dans une plaine fleurie que limitaient deux montagnes et qu'arrosait une rivière, sire Renart, un jour, aperçut un fort bel endroit, encore peu fréquenté. Un
5 hêtre y était planté. Il franchit le ruisseau, gagna l'arbre, tourna autour du tronc, puis se vautra délicieusement dans l'herbe. Tout dans ce lieu l'aurait charmé s'il avait eu à manger. Pendant qu'il hésitait sur ce qu'il allait faire, sire[1] Tiécelin, le corbeau, qui n'avait rien mangé depuis le matin,
10 sortit du bois voisin, plana dans la prairie et se posa dans un enclos qui semblait lui promettre une bonne aventure.

Là se trouvait un millier de fromages qu'on avait mis à sécher au soleil. La gardienne était rentrée pour un moment au logis. Tiécelin, profitant de l'occasion en saisit un des plus
15 beaux. La vieille aperçut alors Tiécelin et lui jeta pierres et cailloux en disant :

– Canaille, tu ne l'emporteras pas !

– Tais-toi, tais-toi vieille, répondit Tiécelin. Si on te demande qui l'a pris, tu diras que c'est moi. J'en ai eu largement le
20 temps. Mauvaise garde nourrit le loup[2].

Tiécelin s'éloigna et s'en vint percher sur le hêtre au pied duquel se trouvait Renart. Les voilà réunis : l'un en haut, l'autre en bas. Mais leur situation est loin d'être pareille : l'un mange, l'autre baille de faim[3]. Le fromage est un peu mou.
25 Tiécelin l'entame en y donnant de grands coups de bec et déguste la partie la plus jaune et la plus tendre. Il ne remarque pas qu'une miette est tombée par terre aux pieds de Renart. Celui-ci lève la tête et salue Tiécelin qu'il voit, fièrement perché, le bon fromage entre les pattes.

notes

1. *sire :* seigneur.
2. *mauvaise garde nourrit le* *loup :* ici, signifie « un fromage mal gardé peut être volé ». 3. *baille de faim :* meurt de faim.

Renart et Tiécelin. Reproduction de gravure sur bois de Lucien Boucher, L'artisan du livre, édition de 1942.

30   – Oui, je ne me trompe pas ! C'est sire Tiécelin. Que le bon Dieu vous protège, compère, vous et l'âme de votre père, sire Rohart, le fameux chanteur. Personne autrefois, dit-on, ne chantait mieux que lui en France. Vous-même, si je m'en souviens bien, faisiez aussi de la musique. Puisque j'ai le
35 plaisir de vous rencontrer, chantez-moi donc une petite ritournelle[1] !

Ces paroles sont d'une grande douceur pour Tiécelin. Il ouvre aussitôt la bouche et pousse un cri.

    – Ce n'est pas mal, dit Renart. Vous chantez mieux que
40 d'habitude. Mais si vous vouliez, vous pourriez chanter encore plus haut.

Le corbeau recommence à crier.

    – Votre voix est belle, dit Renart, mais elle serait plus belle encore si vous ne mangiez pas tant de noix. Continuez
45 pourtant je vous prie.

L'autre crie de toutes ses forces et ne se rend pas compte qu'il ouvre peu à peu la patte qui tient le fromage. Celui-ci tombe juste aux pieds de Renart. Le glouton frémit de plaisir, mais ne touche pas au fromage ; c'est Tiécelin lui-même
50 qu'il veut.

    – Ah ! Dieu, dit-il, en faisant un effort pour se lever, voilà que je ne peux changer de place, tant je souffre du genou ; et ce fromage qui vient de tomber m'apporte une odeur épouvantable et insupportable. Rien n'est plus dangereux
55 pour les blessures des jambes ; les médecins m'ont bien recommandé de ne pas en manger. Descendez, je vous prie, mon cher Tiécelin, débarrassez-moi de cette horreur. Je ne vous demanderais pas ce petit service si je ne m'étais l'autre

---

note

1. ritournelle : petit refrain.

jour blessé la jambe dans un maudit piège. Je suis condamné
60 à me reposer et à me mettre des emplâtres[1] jusqu'à guérison.
Tiécelin ne se méfie pas et descend de l'arbre. Une fois à
terre, la présence de Renart le fait réfléchir et il n'ose
s'approcher.

— Mon Dieu, dit Renart, dépêchez-vous donc ! Que
65 pouvez-vous craindre d'un blessé ?

Tiécelin s'approche, mais Renart, trop impatient, s'élance et
le manque ; seules quatre plumes restent entre ses dents.
Tiécelin, qui faillit être bien mal payé de son dévouement
fait un saut de côté.

70 — Ah ! traître Renart ! dit alors Tiécelin. J'aurais bien dû
savoir que vous me tromperiez ! J'en suis pour quatre de mes
plus belles plumes ; mais c'est là tout ce que vous aurez de
moi, méchant larron[2]. Que Dieu vous maudisse !

Renart veut se justifier, mais Tiécelin ne l'écoute pas.

75 — Garde le fromage, je te l'abandonne ; quant à ma peau, tu
ne l'auras pas. Pleure et gémis maintenant à ton aise, je ne
viendrai pas à ton secours.

Renart ne répond rien. Il se console de son échec en
mangeant le fromage qu'il trouve trop petit. Jamais depuis sa
80 naissance il n'en avait mangé de meilleur. Sa plaie n'allant pas
plus mal, il part sans rien dire d'autre.

(Branche II, vers 843 à 1024.)

---

notes

1. emplâtres : bouillies faites
à partir de plantes et mises
sur les plaies jusqu'à leur
guérison.

2. larron : voleur.

Au fil du texte

AVEZ-VOUS BIEN LU ?

1. De quoi souffrent Renart et Tiécelin ? Justifiez votre réponse à partir du texte.

2. Quel est l'élément important du paysage ? Pourquoi ?

3. Que semble désirer Renart ? Que veut-il réellement ?

4. Retrouvez les étapes de la tactique de Renart dans cet épisode.

5. Renart parvient-il à ses fins ? Justifiez votre réponse à partir du texte.

ÉTUDIER LE VOCABULAIRE

6. Le comparatif latin *senior* est à l'origine des noms « sire » et « seigneur ». En vous aidant de votre dictionnaire, trouver un maximum de mots de la même famille.

7. Donnez pour chacun une brève définition et dites s'il est encore utilisé aujourd'hui.

ÉTUDIER LE DISCOURS : UN TEXTE ARGUMENTATIF

8. Dans les lignes 51 à 65 relevez les arguments employés par Renart pour convaincre Tiécelin de s'approcher de lui.

ÉTUDIER L'ÉCRITURE

9. « *Un hêtre y était planté.* » (Lignes 4 et 5.) En quoi cette phrase (longueur, construction, place...) annonce-t-elle l'importance du hêtre ?

10. Comment l'auteur rend-il vivante la présentation du goupil et du corbeau (lignes 1 à 10) ?

11. Quel nom et quel verbe l'auteur emploie-t-il pour parler du chant du corbeau ? Quel est l'effet produit ?

morale :
leçon tirée
d'un récit.

12. Précisez les étapes de *Renart et Tiécelin le corbeau* en recopiant et en remplissant le tableau suivant :

Situation initiale	
Élément modificateur	
Actions	
Situation finale	

À VOS PLUMES !

13. Rédigez quelques lignes pour dire ce qui vous a amusé dans cette scène.

14. Racontez une autre histoire de Renart et Tiécelin en une vingtaine de lignes utilisant le même schéma narratif que celui de cette histoire et illustrant la morale★ :
« *Bien mal acquis ne profite jamais* ».

LIRE L'IMAGE

15. Quels éléments du décor de l'illustration p. 40 sont conformes au texte ?

16. Quels sont ceux qui n'y sont pas ?

17. Quel moment du récit l'illustrateur a-t-il choisi de représenter ?

Renart et les anguilles

C'était l'époque où le doux temps d'été déclinait et faisait place au rigoureux hiver. Renart, dans sa maison, était à bout de provisions ; il n'avait plus rien à dépenser et ne trouvait
5 plus de crédit chez les marchands. Un jour de grande faim, le goupil[1] quitta Maupertuis[2] et se glissa parmi les joncs entre la rivière et le bois. Après avoir beaucoup erré, il finit par arriver sur une grand-route. Il s'accroupit dans le fossé et tendit le cou de tous côtés. La faim au ventre, il ne savait où
10 chercher de la nourriture. Ne sachant que faire, il se coucha près d'une haie, espérant une occasion.

Enfin, il entendit un bruit de roues. C'était des marchands qui revenaient des bords de la mer ; ils rapportaient de grosses quantités de harengs frais et de poissons dont ils
15 avaient fait une pêche abondante car une bise favorable avait soufflé toute la semaine. Leurs paniers crevaient sous le poids des anguilles et des lamproies[3] qu'ils avaient achetées en cours de route.

Quand Renart, l'universel trompeur, est à une portée d'arc[4]
20 des marchands, il reconnaît facilement les anguilles et les lamproies. Il rampe sans se laisser voir jusqu'au milieu de la route, et s'y étend, les jambes écartées, la langue pendante. Quel traître ! Il reste là à faire le mort, sans bouger et sans respirer. La voiture avance ; un des marchands regarde, voit
25 le corps immobile et appelle son compagnon :

– Regarde, là. C'est un goupil ou un blaireau.

notes

1. goupil : ancien nom du renard.

2. Maupertuis : Maupertuis est le nom du château de Renart.

3. lamproies : poissons de mer.

4. une portée d'arc : à la distance qui peut être atteinte par un tir d'arc.

– C'est un goupil, dit l'autre ; vite ! Descendons et attrapons-le en prenant bien garde qu'il ne nous échappe pas.

Les deux hommes se dépêchent et s'approchent de Renart. Ils le poussent du pied, le pincent, le tournent et le retournent sans crainte d'être mordus. Ils le croient mort.

– Il vaut bien trois sous, dit l'un.

– Il en vaut bien au moins quatre, reprend l'autre. Nous ne sommes pas chargés : jetons-le sur la charrette. Vois comme sa gorge est blanche et nette !

Ainsi dit, ainsi fait. Ils le saisissent par les pieds, le lancent entre les paniers et se remettent en route. Pendant qu'ils se félicitent de l'aventure et qu'ils se promettent d'écorcher Renart le soir même, celui-ci ne s'inquiète guère ; il sait qu'entre faire et dire il y a souvent un long trajet. Sans perdre de temps, il s'allonge sur les paniers, en ouvre un avec les dents et tire à lui plus de trente harengs. Il les mange de bon appétit, sans avoir besoin de sel ou de sauge[1]. Mais il n'a pas l'intention de se contenter d'aussi peu. Dans le panier voisin frétillent les anguilles : il en tire trois beaux colliers[2]. Renart, qui connaît tant de ruses, passe sa tête et son cou dans les colliers, puis les installe sur son dos. Il s'agit maintenant de quitter la charrette. Des deux pattes de devant, il s'élance au milieu de la route, les anguilles autour du cou. Après avoir sauté, il crie aux marchands :

– Dieu vous garde, beaux vendeurs de poissons ! J'ai partagé en frère : j'ai mangé vos plus beaux harengs et j'emporte vos meilleures anguilles ; le reste est pour vous.

Quelle n'est pas la surprise des marchands !

---

notes

1. sauge : herbe destinée à parfumer les aliments.

2. colliers : les anguilles sont enfilées sur des cordes et forment des colliers.

Renart et les anguilles, miniatures du XIVᵉ siècle.

55 – Au goupil ! Au goupil ! crient-ils.

Ils sautent de leur charrette, pensant attraper Renart. Mais le goupil ne les a pas attendus.

– Fâcheux contretemps ! disent-ils, et quelle perte pour nous. Notre imprudence nous a fait du tort. Nous avons été
60 bien naïfs de nous fier à Renart ! Voyez comme il a soulagé[1] nos paniers ; puisse-t-il en crever d'indigestion !

– Tant qu'il vous plaira, dit Renart, je ne crains ni vous ni vos souhaits.

Les marchands courent après lui, mais il va trop vite. Ils
65 ne peuvent le rattraper. Renart file à vive allure vers Maupertuis. Hermeline, sa bonne et sage épouse, l'attend à l'entrée. Ses deux fils, Malebranche et Percehaie, viennent à sa rencontre et le reçoivent avec tout le respect qui lui est dû ; et, quand on voit ce qu'il rapporte, c'est une joie et des
70 embrassements sans fin.

– À table ! s'écrie Renart. Que l'on ferme bien toutes les portes, et que personne ne vienne nous déranger.

(Branche III, vers 1 à 164.)

---

note

1. soulagé : vidé.

Au fil du texte

AVEZ-VOUS BIEN LU ?

1. Relevez trois expressions montrant pour quelle raison Renart quitte Maupertuis (lignes 1 à 7).

2. Que dérobe Renart ? À qui ?

3. Comment s'y prend-il ?

4. Comparez avec les épisodes précédents.

5. Quels personnages nouveaux apparaissent à l'extrême fin du récit ?

ÉTUDIER LE VOCABULAIRE ET LA GRAMMAIRE

6. « *Renart qui connaît tant de ruses* » : en utilisant un dictionnaire, faites une fiche autour du nom « ruse » ; donnez les mots de la même famille, les synonymes – classés en trois catégories (langue soutenue, courante et familière) – et les contraires ou antonymes.

ÉTUDIER LE DISCOURS

7. Relevez et classez les verbes conjugués à l'imparfait et au passé simple dans les lignes 1 à 11 (jusqu'à « *espérant une occasion* »).

8. À quel temps sont conjugués les verbes rapportant les actions de Renart ?

9. À quel temps sont conjugués ceux présentant le décor, la situation ou les réflexions de Renart ?

10. En deux ou trois phrases, résumez l'emploi de l'imparfait et du passé simple dans un récit écrit au passé.

ÉTUDIER LE GENRE DU TEXTE

11. Expliquez en quoi consiste dans cet extrait :
☐ le comique de gestes★.
☐ le comique de caractère★.
☐ le comique de situation★.

12. Quelle est la principale source du comique ?

comique de gestes : ce sont les coups, les grimaces, les attitudes qui font rire.

comique de caractère : c'est le personnage qui est drôle.

comique de situation : c'est la situation du personnage qui fait rire.

ÉTUDIER L'ÉCRITURE

13. De quelle saison parle l'auteur lorsqu'il dit : « *C'était l'époque où le doux temps d'été déclinait et faisait place au rigoureux hiver* » (lignes 1 à 3) ?

14. En vous aidant du dictionnaire, dites si cette tournure est :
☐ une périphrase.
☐ une comparaison.

15. Quel effet obtient ainsi l'auteur ?

ÉTUDIER UN THÈME : LA PERSONNIFICATION

16. Tout au long du texte, relevez les traits de caractère qui apparentent Renart à un animal, à un humain.

À VOS PLUMES !

17. « *Ils le saisissent* [...] *puis les installe sur son dos* » (lignes 36 à 47) : transformez ce récit au présent de narration en un récit au passé (tenir compte des questions 7 à 10).

18. L'auteur dit : « *C'était l'époque où le doux temps d'été déclinait et faisait place au rigoureux hiver* » (lignes 1 à 3) ;
à votre tour, définissez ainsi le printemps, l'été et l'hiver.

19. Écrivez une suite à ce texte : vous utiliserez le récit au passé et le dialogue pour raconter l'accueil fait à Renart par Hermeline et les renardeaux et le récit qu'il leur fait de ses aventures.

LIRE L'IMAGE

20. Quels moments du récit illustre chacune des images page 48 ? Justifiez votre réponse à partir du texte.

Ysengrin, moine et pêcheur

Renart est en son château. Hermeline, son épouse bonne et sage, lui frotte et rafraîchit les jambes ; ses enfants écorchent les anguilles, les taillent, en piquent les morceaux sur des baguettes de coudrier[1] avant de les poser doucement sur la braise. Pendant qu'ils rôtissent les anguilles, voilà que quelqu'un frappe à la porte. C'est messire[2] Ysengrin qui, ayant chassé tout le jour sans rien prendre, est venu jusqu'au château de Maupertuis. La fumée qui s'échappe du haut des toits a attiré son attention ; il sent une odeur qu'il ne connaît pas. Profitant d'une petite ouverture dans les planches de la porte, il regarde à l'intérieur de la maison. Quel spectacle pour un loup mourant de faim et de froid ! Mais il sait le naturel de son compère[3] aussi peu généreux que le sien. Comment pénétrer dans ce lieu ? Comment décider Renart à ouvrir sa porte ? Il s'accroupit, se relève, tourne et retourne, bâille à se démettre la mâchoire. Enfin, il se décide à prier son compère de lui donner quelque nourriture.

— Voyons, dit-il, essayons de l'émouvoir. Eh ! compère ! beau[4] neveu Renart ! je vous apporte de bonnes nouvelles. J'ai hâte de vous les dire. Ouvrez-moi.

Renart reconnaît aisément la voix de son oncle et se garde bien d'ouvrir. Il s'écrie :

— Qui êtes-vous, beau sire ?

— Je suis moi.

— Qui vous ?

— Votre compère.

---

notes

1. *coudrier :* noisetier.
2. *messire :* monseigneur.
3. *compère :* camarade.

4. *beau :* en ancien français, cet adjectif, placé devant un nom de personne, signifiait cher.

– Je vous prenais pour un larron[1].

30 – Quelle méprise ! C'est moi. Ouvrez.

– Attendez au moins que les moines[2] se soient levés de table.

– Il y a des moines chez vous ?

– Assurément. Ce sont de vrais chanoines[3]. Ils sont de l'abbaye[4] de Tyron[5], ce sont des disciples de saint Benoît[6].

35 Je suis devenu moine chez eux.

– Nomenidam[7], dit le loup, m'avez-vous dit la vérité ?

– Oui.

– Alors hébergez-moi et donnez-moi quelque chose à manger.

40 – D'abord répondez-moi. Venez-vous ici en mendiant ?

– Non ; je viens prendre de vos nouvelles. Ouvrez-moi.

– Vous me demandez une chose impossible.

– Pourquoi donc ?

– Vous n'êtes pas en état pour le moment.

45 – Je suis en état de grand appétit. Et dites-moi donc ? Que mangent vos moines en ce moment ? De la viande ? Des fromages mous ?

– Non pas précisément. Ils mangent de gros et gras poissons. Saint Benoît recommande même de toujours prendre les

50 meilleurs.

– Tout cela est nouveau pour moi. Mais enfin cela ne doit pas vous empêcher de m'ouvrir la porte et de me loger pour la nuit.

notes

1. larron : voleur.

2. moines : hommes qui consacrent leur vie à Dieu. Ils vivent le plus souvent en communauté.

3. chanoines : hommes qui consacrent leur vie à Dieu. Ils vivent le plus souvent en communauté.

4. abbaye : ensemble de bâtiments où les moines vivent en communauté.

5. Tyron : Thiron-Gardais, à quinze kilomètres de Nogent-le-Rotrou au sud-ouest de Paris.

6. disciples de saint Benoît : au VIe siècle, saint Benoît

a fondé un monastère en Italie et a établi la règle que doivent suivre les moines qui partagent ses idées.

7. nomenidam : expression qui, dans un mauvais latin, signifie « au nom de Dieu ».

— Je le voudrais bien. Mais personne ne peut être logé ici s'il
55 n'est moine ou ermite[1]. Vous ne l'êtes pas ; alors, passez votre
chemin.

Le loup comprend qu'il ne pourra entrer chez Renart.
Pourtant, il lui demande encore :

— Compère Renart, vous avez parlé de poissons. Je ne
60 connais pas cette viande. Est-elle bonne ? Pourrais-je en
avoir un seul morceau, simplement pour goûter ?

— Très volontiers, et bénie soit notre pêche aux anguilles si
vous voulez bien en manger.

Il prend alors sur la braise deux morceaux parfaitement
65 grillés, mange le premier et offre l'autre à son compère.

— Tenez, bel oncle, approchez ; nos frères vous envoient cela
dans l'espoir que vous serez bientôt des nôtres.

— J'y penserai. La chose est possible. Mais pour Dieu, donnez
donc !

70 — Voici. Eh bien ! Que vous semble ?

— Mais c'est le meilleur manger du monde. Quel goût,
quelle saveur ! Je me sens bien près de la conversion. Ne
pourriez-vous pas m'en donner un second morceau ?

Renart, toujours prêt à jouer un mauvais tour à Ysengrin,
75 s'écrie :

— Par vos bottes[2] ! Si vous vouliez être moine, vous seriez
bientôt mon supérieur : car je n'en doute pas, avant peu de
temps, nos moines vous aurons élu abbé[3].

— Vous vous moquez de moi.

80 — Non vraiment ! Vous feriez le plus beau moine du
couvent.

---

notes

1. ermite : homme qui consacre sa vie à Dieu et qui vit seul.

2. par vos bottes : juron populaire.

3. abbé : moine qui dirige une abbaye.

– Alors, vous me donneriez autant de poisson que je voudrais ?

– Autant que vous voudriez. Allez, faites-vous tonsurer[1].

85 – Cela me décide. Allez, compère, rasez-moi vite.

– Il faut attendre que l'eau soit un peu chaude ; la couronne n'en sera que plus belle. Allons, elle est à peu près comme il faut, ni trop chaude, ni trop froide. Baissez-vous un peu et passez votre tête dans le guichet[2] de la porte.

90 Ysengrin fait ce qu'on lui dit : il allonge le cou, avance la tête et aussitôt Renart renverse le pot et l'inonde d'eau bouillante.

– Ah, s'écrie le pauvre Ysengrin, je suis perdu ! Je suis mort ! Au diable la tonsure ! Vous la faites trop grande.

95 Renart lui tire la langue et dit :

– Non, compère, on la porte ainsi ; elle est juste de la largeur voulue.

– Cela n'est pas possible, s'écrie Ysengrin.

– Mais si. Et j'ajoute que la règle du couvent demande que

100 vous passiez dehors la première nuit à subir des épreuves[3].

– Je ferai tout ce qu'on attend de moi, n'en doutez pas.

Ysengrin promet à Renart qu'il se conduira bien et qu'il ne lui fera aucun mal. Renart sort par une porte secrète, et arrive près d'Ysengrin qui se plaint d'avoir été rasé de trop

105 près. Immédiatement, il conduit Ysengrin sur le bord d'un étang où lui arriva l'aventure que nous allons vous raconter. C'était peu de temps avant Noël, quand on pense à saler les

---

notes

1. tonsurer : raser un cercle de cheveux au sommet du crâne. Ce cercle rasé au sommet du crâne s'appelle une tonsure. C'est à lui qu'on reconnaît un moine ou un prêtre.

2. guichet : petite ouverture pratiquée dans une porte.

3. à subir des épreuves : à montrer que vous êtes capable de devenir moine.

bacons[1]. Le ciel était parsemé d'étoiles, il faisait grand froid, et l'étang où Renart avait conduit son compère était si fortement gelé qu'on aurait pu y danser en toute sécurité. Les vilains[2] du village y avaient ménagé un trou où chaque jour ils menaient boire leurs bêtes et auprès duquel ils avaient laissé un seau.

Renart, montrant l'étang à son compère, lui dit :

— Sire[3] Ysengrin, venez ici. C'est là que se trouvent en quantité les barbeaux, les tanches et les anguilles ; et précisément voici l'engin qui sert à les prendre. (Il montrait le seau.) Il suffit de le laisser quelque temps plongé dans l'eau, puis de l'en tirer quand on sent à son poids qu'il est garni de poissons.

— Je comprends, dit Ysengrin ; et pour bien faire, je crois, beau[4] neveu, qu'il faudrait attacher l'engin à ma queue.

— C'est merveille comme vous comprenez aisément, dit Renart.

Renart, qui connaît tant de ruses, prend le seau et le serre fortement à la queue d'Ysengrin.

— Et maintenant, vous n'avez plus qu'à vous tenir immobile pendant une heure ou deux, jusqu'à ce que vous sentiez les poissons arriver en foule dans l'engin.

— Je comprends fort bien.

Renart se place un peu à l'écart, sous un buisson, la tête entre les pieds, les yeux fixés sur son compère. L'autre se tient au bord du trou, la queue en partie plongée dans l'eau, avec le seau qui la retient. Mais comme le froid est extrême, l'eau ne tarde pas à se figer, puis à se changer en glace autour de la queue.

notes

1. *bacons :* grosses pièces de lard fumé.

2. *vilains :* paysans.

3. *sire :* seigneur.

4. *beau :* adjectif qui, placé devant un nom, signifie cher.

Le loup qui se sent serré attribue le tiraillement aux poissons qui arrivent. Il fait un mouvement, puis s'arrête, persuadé que plus il attendra, plus il aura de poissons. Enfin, il se décide à tirer le seau ; il essaie plusieurs fois, mais ses efforts

140 sont inutiles. Il se démène, s'agite et appelle Renart :

— Au secours, beau neveu ! Il y a tant de poissons que je ne peux les soulever. Venez m'aider ; je suis las[1], et le jour ne doit pas tarder à se lever.

Renart qui fait semblant de dormir, lève alors la tête :

145 — Comment, bel oncle, vous êtes encore là ? Allons, hâtez-vous, prenez vos poissons et partons.

— Mais, dit Ysengrin, je ne puis les remonter. Il y en a tant, tant que je n'ai pas la force de soulever le seau.

— Ah ! reprend Renart en riant, je vois ce que c'est ; mais à

150 qui la faute ? Vous avez voulu trop en prendre et le vilain a raison de le dire : « Qui tout désire tout perd. »

L'aube paraît, le soleil se lève. La neige a blanchi la terre. Messire Constant des Granges, un riche vilain, dont la maison touche à l'étang, vient juste de se lever avec sa

155 maisonnée. Tous sont de fort bonne humeur. Messire Constant prend un cor, appelle ses chiens, fait seller son cheval ; des cris partent de tous côtés. Renart les entend ; il s'enfuit rejoindre son château de Maupertuis.

Ysengrin reste prisonnier, tire de droite et de gauche et

160 manque de déchirer sa peau. S'il veut sortir de là, il lui faudra sacrifier sa queue. Tandis qu'il se débat ainsi, arrive un garçon tenant deux lévriers[2] en laisse. Il aperçoit le loup, tout gelé sur la glace, et se met à crier :

notes

1. *las :* fatigué.   2. *lévriers :* chiens de chasse.

Ysengrin moine et pêcheur, illustration de Romain Simon, Hachette, 1954.

– Ohé ! Ohé ! Au loup ! Au loup ! À l'aide ! À l'aide !

165 À ses cris, les chasseurs accourent et franchissent la barrière avec leurs chiens. Ysengrin n'en mène pas large lorsqu'il entend messire Constant crier de lâcher les chiens. Les chasseurs obéissent. Les chiens sautent sur le loup qui, le poil hérissé, se défend du mieux qu'il peut en les mordant de

170 toutes ses forces. Messire Constant descend de cheval, approche l'épée au poing et pense couper Ysengrin en deux. Mais il rate son coup, tombe à la renverse et se blesse à la nuque. Il se relève à grand peine et revient à la charge. Il vise la tête mais le coup glisse et l'épée coupe la queue à ras.

175 Surmontant une douleur aiguë, Ysengrin s'enfuit en mordant les chiens qui courent à sa poursuite. Il a perdu sa queue et son cœur est rempli de rage et de tristesse. Malgré la meute[1] acharnée sur ses traces, il gagne une hauteur. Les chiens renoncent à le poursuivre. Il s'enfuit vers le bois et là

180 il jure de se venger de Renart et de lui vouer une haine éternelle.

(Branche III, vers 165 à 510.)

---

note

1. meute : troupe de chiens dressée pour la chasse.

Au fil du texte

AVEZ-VOUS BIEN LU ?

1. Dans quelle situation respective se trouvent Renart et Ysengrin (lignes 1 à 14) ?

2. Sous quel prétexte Ysengrin aborde-t-il Renart ?

3. Pourquoi finit-il par accepter de devenir moine ?

4. Pourquoi accepte-t-il de suivre Renart jusqu'à l'étang ? Cela vous surprend-il ?

5. Expliquez en quelques phrases pourquoi Renart paraît méchant vis-à-vis du loup.

ÉTUDIER LA GRAMMAIRE

6. Associez chacune des phrases au type qui lui correspond.

A. Quelle méprise !	*a.* phrase déclarative
B. C'est moi.	*b.* phrase impérative.
C. Ouvrez.	*c.* phrase interrogative.
D. Pourquoi donc ?	*d.* phrase exclamative.

ÉTUDIER LE DISCOURS

7. Quel type de phrase termine les répliques de Renart et d'Ysengrin (lignes 20 à 41) ? Pourquoi ?

8. Relevez une phrase par laquelle le narrateur s'adresse aux auditeurs (lignes 102 à 106) et deux phrases dans lesquelles le narrateur exprime son opinion sur Renart (lignes 71 à 78 et lignes 122 à 125).

ÉTUDIER LE GENRE DU TEXTE

9. Relevez dans ce passage tous les procédés comiques qui relèvent de la farce★ : ruses grossières d'Ysengrin, attitudes de Renart et d'Ysengrin, bêtise d'Ysengrin, situations ridicules d'Ysengrin, dialogue, jeux de mots faciles…

ÉTUDIER L'ÉCRITURE

10. Où est l'ironie★ dans les lignes 114 à 135 ?

11. Quel trait de caractère du loup l'ironie est-elle destinée à souligner ?

ÉTUDIER UN THÈME : LA VIE À LA CAMPAGNE

12. Relevez les renseignements concernant la vie à la campagne en hiver.

À VOS PLUMES !

13. Lignes 57 à 85 (de « *Le loup comprend…* » jusqu'à « *… Allez, compère, rasez-moi vite* ») : transformez ce dialogue du *Roman de Renart* en un dialogue de théâtre. Les renseignements donnés par l'auteur sur les gestes, les attitudes, les mouvements des personnages seront utilisés dans des didascalies★ que vous créerez. Vous ne conserverez que les renseignements indispensables.

LIRE L'IMAGE

14. Quels sont les personnages représentés page 59 et dans quel plan sont-ils présentés ?

farce :
petite pièce de théâtre cherchant à faire rire par un comique très appuyé, lié surtout aux gestes, aux situations et aux jeux de mots faciles.

ironie :
dire par moquerie le contraire de ce que l'on pense tout en se faisant parfaitement comprendre.

didascalies :
indications de mise en scène données par l'auteur.

15. Quels sentiments se lisent sur leur figure ?

16. Quel moment de l'histoire est représenté ?

MISE EN SCÈNE

17. Jouez la scène de théâtre que vous avez écrite à la question 13.

Renart, Ysengrin et le jambon

Par une triste journée, Renart et Ysengrin, en quête de nourriture, vont leur chemin. Renart regarde vers la plaine quand soudain il voit arriver un vilain[1] pliant
5   sous le poids d'un jambon.

– Bel[2] oncle, dit Renard, pourquoi ne pas nous saisir du jambon et apaiser notre faim ? Laissez-moi le plaisir de vous le procurer. S'il vous en reste, après en avoir mangé votre saoul[3], nous le mettrons en vente ; il n'y a pas au monde de
10   meilleur marchand que moi. Nous en partagerons ensuite le prix : à vous les deux tiers, à moi le troisième ; c'est la règle.

– Par saint Clair, dit Ysengrin, je n'ai pas envie de me frotter à un vilain. Hier encore, comme je passais par un village, l'un d'eux me donna un coup de massue qui me laissa étendu sur
15   le sol ; je n'ai pu me venger, et j'en ai grande honte.

– Ne vous en mêlez donc pas, répond Renart, je peux mener l'affaire à bien. Et si tout à l'heure vous n'avez le jambon, vous me ferez pendre.

– À la bonne heure donc ! dit Ysengrin, je veux bien juger
20   de ce que tu sais faire.

Il longe le sentier dans un bois couvert, se traîne avec assez de peine devant le vilain, puis, recourant à l'un de ses tours favoris, il s'étend au milieu du chemin.

Le vilain, en voyant Renart traîner les reins et tomber ainsi
25   dans le chemin, le croit mortellement blessé, et pense qu'il lui sera facile de le prendre. Il avance donc, sans lâcher son jambon. Il se baisse pour attraper Renart. Celui-ci fait un petit saut de côté et lui échappe. Le vilain ne se décourage pas.

---

notes

1. vilain : paysan.

2. bel : en ancien français, cet adjectif, placé devant un nom de personne, signifiait cher.

3. après en avoir mangé votre saoul : après en avoir mangé autant qu'il vous plaira.

— Tout cela, dit le vilain, ne m'empêchera pas de coudre ta
30 pelisse[1] à mon manteau.

Mais entre dire et faire, il y a souvent un long trajet. Renart
accélère sa course. Le vilain n'a pas fait dix pas à la poursuite
de Renart qu'il se voit obligé de poser son jambon à terre,
afin de courir plus vite. Il ne songe plus qu'à rejoindre
35 Renart. Ysengrin suit par curiosité et sans trop d'espoir les
mouvements de Renart et du vilain ; quand il voit le vilain
déposer son jambon à terre, il presse le pas, il descend dans
la plaine, s'empare de la précieuse charge, et revient d'où il
est parti. Sans perdre un instant, il le savoure et le déguste, ne
40 laissant à Renart que la ficelle.

Renart, de son côté, n'a rien perdu des mouvements
d'Ysengrin, et cessant aussitôt de ramper péniblement, part
comme un trait d'arbalète. Le vilain, entre la bête qu'il
voulait prendre et le jambon qui lui était pris, s'arrache les
45 cheveux, maudit Renart et Ysengrin. Il revient chez lui, bien
persuadé qu'il avait été ensorcelé.

Mais, laissons-là le vilain, et retournons à nos deux amis. À
son arrivée près d'Ysengrin, Renart demande sa part du
précieux butin[2].

50 — Bel oncle, dit Renart, vous allez me donner, j'espère, la part
qui me revient.

— Ami, tu veux rire, reprend le loup, tu dois déjà te trouver
fort heureux d'échapper à mes crocs. Cependant, je te
permets de prendre la corde ; fais-en ce qu'il te plaira ; mais
55 ne demande rien de plus.

Renart comprend qu'il n'y a rien à faire.

notes

1. pelisse : peau de bête.
2. butin : ce qui est pris à
l'ennemi.

— Si quelqu'un, dit-il, mérite la corde, ce n'est assurément pas moi. Je le vois, on n'a pas grand profit à attendre de votre compagnie, permettez-moi de prendre congé. D'ailleurs, j'ai la conscience chargée de quelques gros péchés, et mon intention serait, pour en avoir l'absolution[1], d'aller en pèlerinage à Saint-Jacques[2].

— Soit, dit Ysengrin, je ne te retiens pas ; je te recommande à Dieu.

(Branche V, vers 1 à 148.)

notes

1. pour en avoir l'absolution : pour obtenir le pardon de mes péchés.

2. en pèlerinage à Saint-Jacques : Saint-Jacques de Compostelle, au nord-ouest de l'Espagne, est un des grands lieux de pèlerinage pour les chrétiens du Moyen Âge.

Le jugement de Renart

La plainte d'Ysengrin   Pierrot, qui mit tout son talent à écrire en vers l'histoire de Renart et Ysengrin son compère a pourtant oublié de traiter le jugement rendu à la cour du roi
5   Noble sur la querelle de Renart avec messire Ysengrin et dame Hersent, sa noble épouse.

L'histoire dit que l'hiver était fini ; l'aubépine fleurissait et la rose commençait à s'épanouir. On approchait de l'Ascension[1], quand sire[2] Noble le roi convoqua les bêtes
10   en son palais. Toutes répondirent à son appel, sauf dan[3] Renart, le trompeur et le mauvais larron[4]. Chaque bête l'accusait devant le roi, lui reprochant sa ruse et son orgueil. Ysengrin, le premier, s'avança jusqu'au fauteuil du roi et lui parla en ces termes :

---

notes

1. Ascension : fête religieuse qui célèbre la montée au ciel de Jésus-Christ. Elle se célèbre toujours un jeudi, quarante jours après Pâques.

2. sire : seigneur.

3. dan : seigneur. C'est le masculin de dame.

4. larron : voleur.

15   — Beau doux[1] sire, je vous demande justice des outrages que Renart a fait subir à mon épouse, dame Hersent, et à mes enfants, les louveteaux. Après avoir violé dame Hersent, il a insulté et malmené les louveteaux. J'ai grand chagrin qu'il ait maltraité ce que j'ai de plus cher au monde.

20   Noble le roi, après l'avoir écouté attentivement, lui répondit : — Ysengrin, croyez-moi, abandonnez votre plainte ; vous n'avez aucun intérêt à rappeler votre honte. Ces choses-là sont celles dont on fait bien de ne rien dire.

    Brun l'ours prit alors la parole :

25   — Sire, Ysengrin n'est ni mort, ni retenu prisonnier et on le sait assez puissant pour ôter à ce roux le moyen de nuire. Il aurait pu trouver les moyens de se venger lui-même des insultes de Renart, s'il n'avait été retenu par le respect de la paix nouvellement[2] jurée. C'est à vous, souverain du pays, à

30   maintenir l'union entre vos barons[3]. Si Ysengrin accuse Renart, faites prononcer jugement sur la querelle ; si l'un doit quelque chose à l'autre qu'il s'acquitte de sa dette et vous paie l'amende pour le méfait. Envoyez donc chercher Renart dans Maupertuis. Si vous me chargez du message, je

35   me fais fort de l'amener ici.

    — Sire Brun, dit alors Bruyant le taureau, malheur à celui qui conseillera au roi de punir d'une simple amende le tort fait par Renart à dame Hersent. Renart a commis tant de crimes, outragé[4] tant de bêtes honorables que plus personne

40   ne doit le soutenir. Qu'on dise ce qu'on voudra ; mais si cet insigne[5] larron, cet odieux trompeur, ce méchant roux de

---

notes

1. beau doux : en ancien français, ces adjectifs, placés devant un nom de personne, signifiaient cher.

2. nouvellement : récemment.

3. barons : seigneurs les plus puissants du royaume.

4. outragé : offensé très fortement.

5. insigne : qui se fait remarquer par ses mauvaises actions.

Noble tient sa cour, miniature du XIIIᵉ siècle.

Renart avait dit à ma femme une seule parole insolente, il n'y a ni forteresse ni château qui m'empêcherait de le broyer et de le jeter dans un bourbier.

45 Mais Grimbert le blaireau était d'un autre avis :

– Sire Bruyant, dit-il, il faut ramener le mal à de justes proportions. Il n'y a eu ici ni violence ouverte, ni porte brisée, ni trêve rompue ; tous les mauvais procédés reprochés à Renart peuvent être dus à un amour bien excusable. Renart

50 aimait Hersent depuis longtemps, et dame Hersent ne se serait jamais plainte si cela n'avait dépendu que d'elle. Ysengrin a pris la chose trop à cœur et aurait dû se garder d'en instruire le roi et les barons. La honte de tout cela va retomber sur dame Hersent. Vous allez être l'objet de

55 toutes les conversations et de tous les quolibets[1]. Ah ! vous seriez la dernière des créatures si, après cela, vous aimiez encore Ysengrin et si vous pouviez souffrir qu'il vous donne le nom d'épouse !

Ces paroles firent monter le rouge au visage de dame

60 Hersent ; elle répondit en soupirant :

– Sire Grimbert, vous avez raison ; j'aurais mille fois mieux aimé qu'Ysengrin et Renart demeurent bons amis. La vérité est que jamais Renart n'a eu de moi la moindre faveur et, pour le prouver, je suis prête à subir l'épreuve du fer chaud ou

65 de l'eau bouillante[2]. Mais à qui cela sert-il que je me justifie ? On n'ajoute pas foi à ce que peut dire une malheureuse. Je prends à témoin tous les saints qu'on adore et Dieu lui-même que jamais Renart ne m'a traité autrement que

---

notes

1. quolibets : moqueries.

2. l'épreuve du fer chaud ou de l'eau bouillante : ces épreuves sont connues sous le nom de jugement de Dieu ; les hommes du Moyen Âge pensaient qu'elles permettaient de savoir avec certitude si une personne était coupable ou innocente. Si la personne était innocente, le fer chaud appliqué sur sa peau ou l'eau bouillante versée sur son corps ne laissait aucune trace.

comme une mère. Je ne le dis pas pour témoigner en faveur
70 de Renart, mais pour messire[1] Ysengrin, dont la jalousie ne
me laisse pas de répit et qui s'imagine toujours être trompé.
Par la foi que je dois à mon fils Pinçart, il y aura dix ans au
premier avril, le jour de Pâques, que l'on nous maria
Ysengrin et moi. Les noces furent somptueuses ; nos fossés,
75 nos terriers pouvaient à peine contenir toutes les bêtes
conviées à la fête. J'ai, depuis ce temps, vécu en loyale
épouse, sans donner à personne le droit de me blâmer. Ainsi,
que l'on me croie ou non, par la foi que je dois à sainte
Marie, je ne me suis jamais mal conduite et je suis demeu-
80 rée aussi sage et fidèle qu'une nonne[2].
Le discours de dame Hersent répandit une joie extraordi-
naire dans l'âme de dan Bernard, l'âne, qui s'écria :
– Ah ! gentille baronne, plût au ciel que mon épouse soit
aussi sage et aussi loyale que vous ! Vous avez pris Dieu et les
85 saints du paradis à témoin ; je soutiendrai donc votre cause
et je suis prêt à jurer avec vous. Que Dieu m'enlève son pardon, qu'il m'ôte tout chardon en ma prairie si jamais vous
avez menti ! Ah ! maudite soit l'heure où Renart est né !
Grimbert, le cousin de Renart, voulait lui venir en aide. Il
90 s'avança vers le roi et déclara :
– Noble et gentil sire, apaisez donc la querelle de vos deux
barons et accordez votre pardon à Renart. Permettez-moi
de le conduire ici ; vous entendrez ses réponses, et, si votre
cour le condamne, vous fixerez le montant de l'amende qu'il
95 devra régler. S'il néglige de venir à la cour et s'il ne justifie
pas son absence, son amende sera plus lourde.
Après tous ces débats, la cour conclut en ces termes :

---

notes

1. messire : monseigneur.   **2. nonne :** religieuse.

– Sire, dans le cas où Renart ne se présenterait pas et ne fournirait aucune excuse, ordonnez qu'il soit ici traîné de
100 force pour y recevoir une correction dont il se souviendra. Sire Noble le roi de répondre :

– Barons, vous faites erreur en voulant juger Renart ; j'ai grand sujet de me plaindre de lui, mais je ne veux pas le déshonorer s'il consent à reconnaître ses torts. Croyez-moi
105 donc, Ysengrin, consentez au jugement de Dieu que réclame votre femme ou bien je prendrai sur moi de l'ordonner.

– Ah ! Sire, repartit vivement Ysengrin, n'en faites rien, je vous prie. Si cette épreuve demandée par Hersent lui devenait funeste[1], si l'eau ou le feu l'atteignait, tout le
110 monde le saurait et mes ennemis s'en réjouiraient. J'aime mieux retirer ma plainte et faire justice moi-même. Avant l'époque des vendanges, je compte bien mener contre Renart une guerre dont rien ne le protégera, ni serrure ni clef, ni muraille ni fossé.
115 – Allez au diable, reprit Noble avec indignation. Votre guerre ne finira-t-elle donc jamais ? Vous comptez avoir le dernier mot avec Renart ? Il en sait plus que vous, et vous aurez plus à craindre de lui que lui de vous. D'ailleurs, le pays est en repos, la paix est jurée. Malheur à celui qui s'avisera d'y
120 porter atteinte !

(Branche I, vers 1 à 266.)

note
_____
1. devenait funeste :
se terminait mal.

72

Au fil du texte

AVEZ-VOUS BIEN LU ?

1. En vous aidant de la présentation de la page 67, dites qui est Pierrot.

2. Que va raconter le successeur de Pierrot dans cette partie ?

3. Où et quand se passe la scène ?

4. Qui porte plainte ? auprès de qui ? contre qui ? pour quelles raisons ?

5. Quelle décision prend Noble concernant la plainte ?

6. Quel portrait de Renart tracent le narrateur et les animaux ?

ÉTUDIER LE VOCABULAIRE ET LA GRAMMAIRE

7. Relevez dans ce texte les verbes et expressions qui introduisent les répliques du dialogue.

8. Relever un infinitif de narration★ entre la ligne 97 (*« Après tous ces débats »*) et la fin.

ÉTUDIER L'ÉCRITURE

9. Quelle périphrase★ l'auteur utilise-t-il pour dire que l'histoire se passe au printemps ?

10. Dans quels extraits ce procédé a-t-il déjà été utilisé pour présenter l'automne et l'hiver ?

infinitif de narration : infinitif utilisé à la place d'un verbe conjugué et destiné à rendre le récit plus vivant.

périphrase : groupe de mots utilisé à la place d'un seul mot et ayant le même sens ; ex. : « la capitale de la France » utilisé pour « Paris ».

ÉTUDIER LE DISCOURS ARGUMENTATIF

11. Quels arguments utilise Brun l'ours pour convaincre le roi d'agir (lignes 25 à 35) ?

12. Quels arguments utilise Grimbert le blaireau pour plaider la cause de Renart (lignes 45 à 58) ?

13. Comment Hersent organise-t-elle sa défense (ligne 59 à 80) ?

ÉTUDIER LE GENRE DU TEXTE

14. Quel élément fait de ce passage une parodie★ des cours royales du XIIe siècle :

☐ la plainte d'Ysengrin.

☐ le passage du monde humain au monde animal.

☐ la présence du dialogue.

15. En vous aidant des questions 5, 6 et 14 dites pourquoi ce texte est une satire★ de la justice.

ÉTUDIER UN THÈME : LA JUSTICE

16. Dites quels renseignements cet extrait vous donne concernant la justice au Moyen Âge (qui juge ? avec qui ? où ? comment ?...).

À VOS PLUMES !

17. Noble convoque Renart pour entendre sa version des faits. Présentez leur dialogue en insistant sur les arguments utilisés par Renart pour plaider sa cause. Utilisez un maximum de verbes et d'expressions relevés à la question 7.

MISE EN SCÈNE

18. Essayez de jouer cet extrait en pensant bien au ton que doit prendre chaque personnage.

parodie : **imitation comique qui accentue les défauts d'une institution, d'une coutume...**

satire : **critique moqueuse d'une personne, d'une société ou d'un fait de société.**

Les funérailles de dame Copette

Cette déclaration du roi contre toute reprise de guerre fut pour Ysengrin un coup terrible ; ne sachant que faire, il retourna s'asseoir auprès de sa femme, les yeux enflammés, la queue entre les jambes. L'affaire semblait tourner à l'avantage de Renart et tout promettait un règlement de la querelle, lorsque arrivèrent à la cour, sous la conduite de Chantecler, dame Pinte et trois autres gélines[1] qui venaient implorer la justice du roi. Sire[2] Chantecler le coq, Pinte qui pond les gros œufs, Roussette, Blanche et Noirette, escortaient une charrette tendue de noir. À l'intérieur, une géline morte de la veille. Renart l'avait malmenée et, à coups de dents, lui avait enlevé une aile, brisé une cuisse, et enfin séparé l'âme du corps.

Noble le roi, las des discussions, allait congédier[3] l'assemblée, quand, battant violemment des paumes[4], arrivent les dolentes[5] et Chantecler. Pinte, la première, a la force de parler :

– Ah ! par Dieu, mes seigneurs, chiens et loups, nobles et gentilles bêtes, ne repoussez pas d'innocentes victimes. Maudite l'heure de notre naissance ! Ô mort, viens nous saisir, avant que nous tombions sous la dent cruelle de Renart ! J'avais cinq frères de père, Renart les a tous dévorés. J'avais quatre sœurs de mère, les unes de l'âge le plus tendre, les autres, déjà gélines d'une beauté accomplie. Gombert du Fresne les engraissait pour la ponte des œufs de choix. Soins inutiles ; Renart, de toutes, n'en épargna qu'une seule, les autres passèrent par son gosier. Et vous, ma douce Copette, couchée dans ce cercueil, chère et malheureuse amie, qui

<u>notes</u>

1. **gélines :** poules.
2. **sire :** seigneur.
3. **congédier :** renvoyer.
4. **paumes :** mains.
5. **dolentes :** celles qui souffrent et qui se plaignent.

30 pourra dire combien vous étiez grasse et tendre ? Et que deviendra votre sœur dolente et éplorée ? Ah, Renart ! puisse le feu d'enfer te dévorer ! Combien de fois nous as-tu chassées, effrayées, dispersées ? Combien de robes nous as-tu déchirées ? Combien de fois as-tu franchi, de nuit, notre 35 enceinte ? C'est hier, près de la porte, que tu as laissé ma sœur étendue, sans vie. Tu as pris la fuite, en entendant les pas de Gombert, qui, par malheur, n'avait pas un cheval assez rapide pour te rattraper… Voilà, beau doux[1] sire, pourquoi nous venons à vous ; tout espoir de vengeance nous étant 40 enlevé, c'est de vous et de vos nobles seigneurs que nous attendons justice.

Après ces paroles, souvent entrecoupées de sanglots, Pinte tombe pâmée[2] sur les dalles de la salle, et ses trois compagnes en même temps qu'elle. Aussitôt, pour les secourir, chiens et 45 loups quittent leurs escabeaux[3]. On les relève, on les soutient, on leur jette de l'eau sur la tête.

En revenant à elles, elles courent se précipiter aux pieds du roi, que Chantecler agenouillé inonde de ses larmes. La vue de ce chevalier remplit l'âme de Noble d'une grande pitié ; 50 il pousse un profond soupir, puis, relevant sa grande tête chevelue, il fait entendre un tel rugissement qu'il n'y a aucune bête, si hardie qu'elle soit, qui ne tremble d'épouvante. La peur de dan[4] Couart[5] le lièvre fut telle qu'il en eut deux jours durant les fièvres, et qu'il les aurait encore peut- 55 être, sans le beau miracle que je vous apprendrai tout à l'heure.

notes

1. beau doux : en ancien français, ces adjectifs, placés devant un nom de personne, signifiaient cher.

2. pâmée : évanouie.
3. escabeaux : tabourets.
4. dan : seigneur. C'est le masculin de dame.

5. Couart : en ancien français, un couart est un peureux. Ce nom s'écrit couard aujourd'hui.

Noble le roi dresse sa noble queue et s'en frappe si vivement les flancs que le bruit en résonne dans tout le palais. Puis il prononce ces paroles :

60 — Dame Pinte, par la foi que je dois à l'âme de mon père, je prends grande part à vos malheurs, et je compte en punir l'auteur. Je vais convoquer Renart, et de vos yeux et de vos oreilles vous pourrez voir et entendre comment je sais punir les traîtres, les assassins et les voleurs de nuit.

65 Quand Noble a cessé de parler, Ysengrin se dresse sur ses pieds et dit :

— Sire, vous êtes un grand roi. Vous conquerrez honneur et louange, en vengeant le meurtre de dame Copette. Ce n'est pas la haine qui me fait parler mais l'intérêt que je porte à

70 cette innocente victime.

Noble reprend :

— Ce cercueil, ces pauvres gélines m'ont mis la douleur dans l'âme. Je me plains donc à vous, barons[1], de cet odieux Renart, ennemi du mariage et de la paix publique.

75 Cependant, il faut penser au plus pressé. Sire Brun, vous allez prendre une étole[2] et vous célébrerez les funérailles de la défunte ; et vous, sire Bruyant, préparez une sépulture[3] dans le terrain qui sépare le jardin de la plaine.

Brun se hâte d'obéir. Il revêt l'étole ; le roi et tous les

80 membres de la cour commencent les Vigiles[4]. Sire Tardif, le limaçon, chante l'office[5] accompagné de sire Roënel, le

notes

1. **barons :** seigneurs les plus puissants du royaume.

2. **étole :** large écharpe que, pendant les cérémonies, les prêtres portent autour de leur cou et qui descend jusqu'à la taille.

3. **sépulture :** tombeau.

4. **Vigiles :** cérémonie religieuse qui se passe la nuit précédent l'enterrement.

5. **office :** cérémonie religieuse.

chien, et de sire Brichemer, le cerf. L'oraison[1] finale est prononcée par sire Brun.

85 Le lendemain dans la matinée, le corps, placé dans un beau cercueil de plomb, est porté en terre. Sur la fosse, creusée au pied d'un chêne, est placée une dalle de marbre, sur laquelle est gravée l'épitaphe[2] suivante :

CI GIST COPETTE LA SŒUR DE PINTE
QUI MOURUT COMME UNE SAINTE,
90 MARTYRISÉE CRUELLEMENT
PAR RENART LE VILAIN PUANT.

notes

1. oraison : prière.
2. épitaphe : inscription.

La procession, gravure du Moyen Âge (XIe-XIIIe siècles).

Durant la cérémonie, personne n'a pu voir dame Pinte fondre en larmes, prier Dieu et maudire Renart ou Chantecler raidir les pattes de désespoir, sans être profon-
95 dément ému.

Les grandes douleurs apaisées, les barons se rendent auprès du roi et lui parlent ainsi :

– Sire, nous demandons vengeance de ce glouton, fléau[1] pour tous, violateur de la foi jurée.

100 – Très volontiers, répond le roi Noble. Sire Brun, c'est vous que je charge d'aller le quérir[2]. N'ayez pour le traître aucun ménagement. Vous lui direz qu'avant de me décider à le faire amener de force, je l'ai attendu trois fois.

– Je n'y manquerai pas, Sire, répond Brun.

105 Et, sur-le-champ, il prend congé, et s'éloigne.

Mais, pendant qu'il chemine ainsi par monts et par vaux, survient à la cour un événement surprenant. Couart le lièvre, qui, depuis deux jours, a les fièvres, se rend pour prier sur la tombe de dame Copette. Il s'y endort, et, en se
110 réveillant, se trouve guéri. Le miracle fait grand bruit. Ysengrin, apprenant que dame Copette est réellement une martyre, se souvient d'un tintement douloureux qu'il a dans l'oreille ; sur les conseils de Roënel, il se rend sur la tombe et en revient guéri. On aurait peut-être cru à un mensonge
115 d'Ysengrin si Roënel ne s'en était porté garant. L'annonce de ce double miracle est accueillie avec joie par les ennemis de Renart qui pensent que désormais il est en fâcheuse[3] position.

(Branche I, vers 267 à 475.)

notes

1. fléau : calamité.   **2. quérir :** chercher.   **3. fâcheuse :** mauvaise.

Au fil du texte

AVEZ-VOUS BIEN LU ?

1. Quel événement empêche l'affaire de « *tourner à
l'avantage de Renart* » ?

2. Qui porte plainte contre Renart ?

3. De quoi l'accuse-t-on ?

4. Que décide le roi Noble en ce qui concerne
Renart ?

5. Quelle cérémonie organise-t-il pour Copette ?

6. Quel événement survient sur la tombe de dame
Copette, qui met Renart en fâcheuse position ?

ÉTUDIER LE VOCABULAIRE

7. Cherchez la définition de l'expression « coup
de théâtre ». Par quel coup de théâtre commence
ce passage ?

8. Quelles caractéristiques mettent en évidence le
nom donné aux poules – Roussette, Blanche et
Noirette –, celui donné au roi – Noble –, et celui
donné au lapin – Couart ?

ÉTUDIER LE DISCOURS

9. Donnez les différentes étapes du discours de
Pinte, lignes 17 à 41. (Que ressent-elle ? Pourquoi ?
Quelles sont les trois personnes à qui elle s'adresse ?)

ÉTUDIER LE GENRE DU TEXTE

10. Dans le passage racontant l'enterrement de Copette (lignes 71 à 91), relevez les éléments de parodie⋆.

ÉTUDIER L'ÉCRITURE

11. Relevez la phrase dans laquelle est décrit le meurtre de Copette. À quels détails voit-on la cruauté de Renart ?

12. Quel est le rôle de la triple répétition des phrases interrogatives introduites par « *combien* » (lignes 31 à 36) ?

parodie :
imitation comique qui accentue les défauts d'une institution, d'une coutume…

monologue :
discours qu'un personnage s'adresse à lui-même.

ÉTUDIER UN THÈME : LES CHEVALIERS

13. Pour qualifier Chantecler, l'auteur utilise le terme de « *chevalier* » (ligne 49). En vous aidant de votre manuel d'histoire, établissez une fiche sur le chevalier.

À VOS PLUMES !

14. Rédigez la lettre que le roi Noble fait porter à Renart par sire Brun pour lui demander de venir à la cour.

15. « *Et, sur-le-champ, il prend congé* […] *en fâcheuse position* » (lignes 105 à 118) : transformez ce récit au présent de narration en un récit au passé.

16. Après le départ de Brun l'ours pour Maupertuis, Ysengrin regagne sa tanière. Faites-le parler sous la forme d'un monologue⋆ dans lequel il commentera sa situation, exprimera ses sentiments et ses projets.

Chevalier à genoux :
additifs de l'école de Mathieu de Paris
au psautier de Westminster, XIIIᵉ siècle.

MISE EN SCÈNE

17. Indiquez les gestes qui accompagneraient la tirade* de Pinte (lignes 17 à 41). Puis jouez cette tirade.

tirade :
**longue
réplique.**

Les ambassades de Brun l'ours, Tibert le chat et Grimbert le blaireau

Lorsque sire Brun, l'ours, arriva à Maupertuis, Renart l'invita à venir se régaler de miel dans un bois voisin. Brun accepta et suivit Renart sans méfiance jusqu'au pied d'un chêne. Dans la fente faite au tronc de l'arbre se trouvait, d'après Renart, le meilleur miel qui ait jamais existé. Brun y introduisit son museau et n'y trouva rien. Renart, heureux de sa ruse, se sauva, laissant le malheureux

10 *ours la tête coincée dans la fente. Pour retrouver sa liberté, Brun tira de toutes ses forces et s'arracha la peau du visage. C'est la face ensanglantée et sans Renart qu'il revint se présenter devant le roi Noble.*

Furieux, Noble envoya alors à Maupertuis Tibert le chat. Renart le
15 *reçut avec courtoisie et lui proposa d'aller déguster quelques délicieuses souris chez un curé des environs. Tibert accepta et se trouva pris dans un piège. Roué de coups par le prêtre, Tibert parvint néanmoins à s'enfuir et à regagner le palais du roi Noble auquel il se plaignit de la conduite de Renart.*

20 *Noble chargea alors Grimbert le blaireau, cousin et défenseur de Renart, de le ramener à la cour. Lorsque Grimbert arriva à Maupertuis, Renart lui réserva un accueil très aimable. Mais, c'est en tremblant qu'il lut la lettre royale dans laquelle on menaçait de le pendre. Devant Grimbert, Renart reconnut ses torts : oui, il avait*
25 *offensé Ysengrin ; oui, il avait dupé Tibert le chat ; oui, il avait mangé la famille de dame Pinte. Il promit de ne plus recommencer. Les deux barons quittèrent alors Maupertuis pour la cour.*

(Branche I, vers 476 à 1200.)

Renart devant le roi

L'arrivée à la cour de dan[1] Renart et de Grimbert causa un grand mouvement dans l'assemblée des barons[2] ; tous étaient impatients de témoigner contre Renart.

5   Ysengrin, le connétable[3], aiguisa ses dents ; Tibert et Brun brûlaient de venger, le premier, sa queue perdue, le second, sa face ensanglantée. Chantecler se dressait sur ses ergots[4], près de Roënel qui grondait et aboyait d'impatience.

Mais, au milieu de toutes ces démonstrations de haine et de
10 fureur, Renart affectait une apparente sérénité ; il s'avança d'un air tranquille jusqu'au milieu de la salle, et, après avoir promené lentement ses regards fiers et dédaigneux à droite, à gauche et devant lui, il demanda à être entendu, et prononça le discours suivant :

15 – Sire roi, je vous salue, comme celui qui vous a rendu, à lui seul, plus de services que tous vos autres barons réunis. On m'a calomnié auprès de vous ; mon malheur a voulu que je n'aie jamais été assuré de votre bienveillance une journée entière. On me dit que, sous la pression de ceux qui vous
20 entourent, vous voulez me faire condamner à mort. Peut-on s'en étonner, quand le roi ne croit que les gens malfaisants, quand il n'écoute pas ses meilleurs barons ? Ceux que la nature a fait naître serfs[5], si on les laisse s'élever à la cour, ne cherchent qu'à dire des autres tout le mal possible, espérant
25 en tirer un bénéfice.

Je voudrais bien savoir de quoi Brun et Tibert m'accusent.

---

notes

1. dan : seigneur. C'est le masculin de dame.

2. barons : seigneurs les plus puissants du royaume.

3. connétable : chef des armées royales.

4. se dressait sur ses ergots : se mettait en colère.

5. serfs : esclaves. Au Moyen Âge, un serf était une personne qui appartenait corps et biens à un seigneur.

Renart devant le roi, illustration de Bressler.

Si Brun a été surpris par le vilain[1] Lanfroi alors qu'il mangeait son miel et si celui-ci l'a battu, pourquoi ne s'est-il pas vengé lui-même ? N'a-t-il pas des mains assez larges, des
30 pieds assez grands, des dents assez fortes, des reins assez agiles ? Et si le digne Tibert a été pris et roué de coups pendant qu'il mangeait rats et souris, en quoi puis-je être responsable ? En ce qui concerne Ysengrin, en vérité, je ne sais que dire. S'il prétend que j'aime sa femme, il a parfaitement raison. Mon
35 amie, la noble dame Hersent, ne me reproche rien ; de quoi se plaint donc Ysengrin ? Est-ce une raison pour me pendre ? Non, Sire. Dieu et votre pouvoir royal m'en préserveront. Car je puis le dire en toute assurance : je n'ai vécu que pour vous témoigner, envers et contre tous, dévouement et
40 fidélité. J'en prends à témoin saint Georges, patron des preux[2] chevaliers. Maintenant que l'âge a brisé mes forces, que ma voix est fêlée et que j'ai même de la peine à rassembler mes idées, il est peu généreux de me convoquer à la cour et d'abuser de ma faiblesse ; mais, le roi commande, et
45 j'obéis. Me voici devant lui ; il peut me faire arrêter, me condamner à être brûlé ou à être pendu. Toutefois, à l'égard d'un vieillard, une vengeance manquerait de charité, et si une bête telle que moi était pendue sans jugement, on en parlerait longtemps.
50 À peine Renart a-t-il fini, que Noble prend la parole :
– Renart, Renart ! Maudites soient l'âme de ton père et de ta mère ! Tu sais parler et te défendre ; mais la tromperie et la ruse ne sont plus de saison. Tu n'éviterais pas la punition de tes nombreux méfaits[3]. Laisse donc là ton arrogance.

---

notes

1. vilain : paysan. **2. preux :** vaillants et courageux. **3. méfaits :** crimes.

55 Tu seras jugé, puisque tu le demandes ; mes barons ici rassemblés décideront comment on doit traiter un félon[1], un meurtrier, un voleur tel que toi. Voyons, quelqu'un veut-il dire ici que ces noms ne te conviennent pas ? Qu'il parle, nous l'écouterons.

60 Grimbert, le cousin et défenseur de Renart, se lève.
   – Sire, dit-il, nous avons répondu à votre convocation ; nous sommes venus nous incliner devant votre justice et voulons rétablir la paix. Vous ne devez pas traiter Renart avec mépris. Si quelqu'un l'accuse, vous devez le laisser se défendre.

65 Grimbert n'avait pas encore cessé de parler, que se levèrent tous ensemble Ysengrin le loup, Roënel le mâtin, Tibert le chat, Tiécelin le corbeau, Chantecler le coq, Pinte la géline, dan Couart le lièvre et Brun l'ours. Le roi ordonna à tous de se rasseoir puis, lui-même, exposa les plaintes portées contre
70 Renart.

(Branche I, vers 1201 à 1278.)

---

note

1. félon : traître.

Au fil du texte

AVEZ-VOUS BIEN LU ?

1. Rappelez de quoi Ysengrin et Chantecler accusent Renart.

2. Quels sentiments éprouvent les animaux à l'égard de Renart ?

3. Quelle est l'attitude de Renart à son arrivée à la cour ? Pourquoi ?

4. Renart parvient-il à convaincre Noble de son innocence ? Justifiez votre réponse à partir du texte.

5. Choisissez le titre qui caractérise le mieux cet extrait.

☐ Renart présente sa défense au roi.

☐ Renart s'accuse devant le roi.

☐ Renart justifie ses crimes.

ÉTUDIER LE VOCABULAIRE ET LA GRAMMAIRE

6. Associez chacun des noms suivants à sa définition.

a. haine   *b.* fureur   *c.* sérénité

A. Colère violente et sans mesure.

B. Sentiment violent qui pousse à vouloir du mal à quelqu'un.

C. État d'une personne calme et tranquille.

7. Cochez les expressions synonymes de « *regards fiers et dédaigneux* » (ligne 12).

☐ regards hautains et méprisants.

☐ regards graves et dignes.

☐ regards arrogants et blessants.

tirade :
longue réplique.

interrogation totale :
interrogation à laquelle on répond par oui ou par non.

interrogation partielle :
elle ne porte que sur une partie de la phrase et débute par « où ? », « quand ? »...

8. Relevez les phrases interrogatives dans la tirade★ de Renart (lignes 15 à 49) et classez-les selon que l'interrogation est totale★ ou partielle★.

ÉTUDIER LE DISCOURS

9. Quelle thèse★ Renart soutient-il ?

10. Quels arguments Renart utilise-t-il dans chacune des trois parties de son discours (lignes 15 à 25, 26 à 37 et 38 à 49) pour faire admettre sa thèse ?

thèse : **idée que l'on défend.**

didascalies : **indications de mise en scène données par l'auteur.**

ÉTUDIER L'ÉCRITURE

11. Quel rôle jouent les phrases interrogatives dans le discours de Renart ?

À VOS PLUMES !

12. Relisez le résumé de l'ambassade de Brun l'ours auprès de Renart. Puis rédigez la tirade argumentative dans laquelle Brun raconte au roi les malheurs que lui a causés Renart.

13. Même question concernant Tibert le chat.

14. Intercalez dans la tirade de Renart les didascalies★ que vous jugerez utiles.

MISE EN SCÈNE

15. Jouez la tirade de Renart en respectant les didascalies créées à la question 14.

Renart, condamné à être pendu, se fait pèlerin

Après avoir exposé quelles étaient les plaintes d'Ysengrin, de Brun, de Tibert, de Tiécelin, de Chantecler et de dame Pinte,

5 le roi s'adressa aux barons[1] assemblés :

– C'est maintenant à vous, dit-il, de décider quel châtiment je dois réserver à ce mauvais larron[2] et c'est à vous de me dire comment vous venger.

– Sire[3], répondirent les barons, Renart est un traître. Faites-
10 le pendre !

– Vous avez bien parlé, dit le roi. Qu'on dresse le gibet ! Nous tenons le coupable, et ne devons pas le laisser échapper. Sur une roche élevée, le roi fait dresser la potence[4]. On se saisit de Renart, on l'oblige à gravir la montée. Cointereau
15 le singe lui fait la grimace, et le gifle ; impatients, les autres, à qui mieux mieux, le tirent et le poussent. De loin, Couart le lièvre lui jette une pierre. Mais, lorsqu'il s'aperçoit que Renart l'a vu, il se cache sous une haie et ne reparaît plus.

Au moment d'être pendu, Renart tente une dernière ruse ;
20 il annonce qu'il va faire d'importantes révélations. Le roi ne peut faire autrement que de l'écouter.

– Sire, dit Renart, vous m'avez fait saisir et charger de chaînes ; vous avez décidé que je serai pendu. Je suis, je l'avoue, un grand pécheur ; mais vous ne voudrez pas m'ôter
25 les moyens de me réconcilier avec Dieu. Permettez-moi de prendre la croix[5] ; je quitterai le pays, j'irai visiter le

---

notes

1. barons : seigneurs les plus puissants du royaume.
2. larron : voleur.
3. Sire : seigneur.

4. gibet ou potence : poutre à laquelle le condamné est pendu.
5. prendre la croix : devenir un croisé, c'est-à-dire participer aux expéditions

militaires menées en Terre Sainte contre les Musulmans. On appelle Terre Sainte le pays où est né Jésus : il correspond à Israël et à la Jordanie.

Saint-Sépulcre[1]. Si je meurs là-bas, je serai sauvé, et Dieu vous récompensera de m'avoir fait rentrer en grâce avec lui ; si vous me faites pendre, vous m'empêchez de me repentir.

30 Disant cela, il tombe aux pieds du roi qui ne peut s'empêcher d'être grandement touché.

Grimbert vient en aide à son cher cousin :

– Sire, je me porte garant de Renart auprès de vous ; sauvez-le du supplice, et jamais il ne fera de tort à vous ni à d'autres.

35 Prenez votre baron en pitié ! S'il est pendu, quel déshonneur pour toute sa famille ! Et puis, avant six mois, vous aurez besoin de ses services ; il n'y a pas plus vaillant homme d'armes que lui.

– Ne dites pas cela, répond Noble ; la coutume des croisés
40 est de revenir pires qu'ils ne sont partis. Même ceux qui sont les meilleurs à l'aller, sont mauvais au retour.

– Alors Sire, ajoute Grimbert, il ne reviendra pas.

Noble se tourne vers Renart et dit :

– Qu'il prenne donc la croix et ne revienne jamais.

45 – Merci, gentil roi, s'écrie Renart. Recevez ma foi ; jamais je ne serai l'occasion de plainte.

– Je ne devrais pas te croire, reprend Noble ; et j'atteste tous les saints de Bethléem[2] que, si j'entends encore parler de toi, rien ne pourra cette fois t'épargner la mort.

50 On apporte la croix ; Brun, tout en blâmant la faiblesse du roi, la lui attache sur l'épaule. D'autres barons, non moins mécontents, lui présentent l'écharpe et le bourdon[3].

---

notes

1. *Saint-Sépulcre :* tombeau de Jésus-Christ.

2. *Bethléem :* ville où est né Jésus.

3. *bourdon :* le bâton qui, avec l'écharpe, est le signe du pèlerin. Renart, qui porte la croix, l'écharpe et le bourdon, est à la fois croisé et pèlerin.

Voilà donc Renart, le bourdon à la main, l'écharpe au cou, la croix sur l'épaule. Le roi lui demande de pardonner à ceux
55 qui l'ont condamné. Renart consent à tout ce qu'on lui demande. Il rompt le fétu de paille[1] avec chacun des barons, et leur pardonne. Quand l'heure de none[2] arrive, il quitte la cour sans saluer personne à l'exception du roi et de la reine. Pour les autres, il n'éprouve que du mépris. Dame Fière la
60 reine, dont la beauté et la courtoisie sont grandes, lui dit :

– Sire Renart, priez pour nous, et, de notre côté, nous prierons pour vous.

– Dame, dit Renart en s'inclinant, vos prières me seront très précieuses ; heureux celui pour qui vous prierez ! Oh ! que
65 j'accomplirais heureusement mon pèlerinage si j'emportais avec moi un gage[3] de votre amitié.

La reine enlève l'anneau de son doigt et le lui tend. Renart le saisit, et dit entre ses dents :

– Cet anneau, je ne le rendrai pour rien au monde.

70 Puis, l'ayant passé à son doigt, il prend congé du roi et pique des éperons[4]. Il est bientôt près de la haie où la crainte retient encore dan[5] Couart le lièvre. Celui-ci lui dit d'une voix tremblante :

– Dan Renart, je vous donne le bonjour ! Je suis bien
75 content de vous voir en bonne santé ; les ennuis dont on vous accablait tout à l'heure m'ont causé une grande peine.

– Vraiment, Couart, mes ennuis vous affligeaient ? Ah ! mon Dieu, la bonne âme ! Eh bien ! si vous avez eu pitié de mon corps, je suis heureux de pouvoir me régaler du vôtre.

notes

1. il rompt le fétu de paille : il brise un brin de paille pour montrer qu'il rompt avec son passé.

2. l'heure de none : la neuvième heure de la journée, soit trois heures de l'après-midi.

3. gage : preuve.

4. pique des éperons : fait avancer son cheval.

5. dan : seigneur. C'est le masculin de dame.

80 Lorsque Couart entend ces terribles paroles, il veut s'échapper ; mais il est trop tard : Renart le saisit aux oreilles et lui dit :

– Sire Couart, vous n'irez pas plus loin seul ; vous viendrez avec moi, de bon ou mauvais gré ; je veux vous présenter ce
85 soir à mes enfants, qui vous feront bonne fête.

Et, disant cela, il l'assomme d'un coup de son bourdon. Puis, il se remet en marche avec son prisonnier.

Du haut de la montagne il contemple, dans la vallée, la cour du roi, ceux qui viennent de le condamner et qui mur-
90 murent de la faiblesse de Noble ; il arrache la croix qu'on lui avait attachée et s'écrie d'une voix forte :

– Sire roi, dit-il, reprenez votre chiffon, et Dieu maudisse qui m'encombra de ce bourdon, de cette écharpe et de toute cette friperie !

95 Il leur jette bourdon, écharpe et croix, leur tend le derrière, et reprend, se moquant d'eux :

– Écoutez, Sire roi. Je suis revenu de Syrie, où j'étais allé par vos ordres ! Le sultan Nouredin[1], me voyant si bon pèlerin, m'a chargé de vous transmettre son salut. Les païens ont
100 tellement peur de vous qu'ils se mettent en fuite dès qu'on prononce votre nom.

Pendant qu'il se plaît à les railler ainsi, dan Couart s'échappe, et, mettant une bonne distance entre Renart et lui, retourne aux lieux où siègent les barons. Il arrive les flancs brisés,
105 la peau déchiquetée ; il se jette aux pieds du roi et raconte en haletant le nouveau crime dont il a failli être la victime.

note
1. *le sultan Nouredin :* prince qui régna au XIIe siècle.

– Grand Dieu ! s'écrie Noble, malheur à moi d'avoir compté sur le repentir de ce larron infâme ! Il n'a aucun respect pour moi. Barons, lancez-vous à sa poursuite ! Et, s'il s'échappe, je
110 ne le vous pardonnerai de ma vie. J'accorde franchise et noblesse à tous les enfants de ceux qui me l'amèneront.
Il faut voir alors monter à cheval et piquer des deux éperons, sire Ysengrin, Brun l'ours, Tibert le chat, Belin le mouton, Pelé le rat, Chantecler le coq, Pinte la géline et ses sœurs,
115 Roënel le mâtin, Blanchart le chevreuil, Tiécelin le corbeau,

Renart, Hermeline et un renardeau, miniature du XIIIᵉ siècle.

Frobert le grillon, Petitpourchas le furet, Baucent le sanglier, Bruyant le taureau, Brichemer le cerf, et Tardif le limaçon, chargé de porter l'étendard et de leur montrer à tous la route. Renart les voit accourir et reconnaît aisément l'éten-
120 dard qui flotte au vent. Sans perdre un moment, il se préci- pite dans une grotte ; la troupe se rapproche et il entend déjà les cris de victoire autour de lui.

– Maudit roux ! tes jambes ne te sauveront pas. Il n'y a maison, mur, fossé, fourré, barrière, château, donjon ou
125 forteresse qui te garantisse.

Renart ressent une extrême lassitude[1] ; l'écume lui couvre la bouche, et sa pelisse[2] n'est plus à l'abri de la morsure des plus proches poursuivants. Il craint qu'on ne lui ferme la retraite et qu'on le retienne prisonnier.

130 Mais, à cet instant, il découvre le sommet de Maupertuis, et cette vue ranime ses espérances ; il fait un dernier effort et gagne enfin son château, où il ne craint ni siège ni assaut. Sa femme, qui l'honore et le vénère, avertie par les trompes de l'armée royale, vient recevoir son époux à la première
135 entrée, en compagnie de Rovel, son plus jeune fils. Ils sont bientôt rejoints par Percehaie et Malebranche, ses deux autres fils. Renart est alors entouré, caressé, embrassé. On soigne ses plaies ouvertes, on les lave avec du vin blanc ; puis on l'assoit sur un coussin mœlleux. Le dîner est servi ;
140 Couart manquait seul à la fête ; mais Renart est si las qu'il ne peut guère manger que le filet et le croupion d'une géline[3]. Quelques jours de repos suffisent pour lui rendre ses anciennes forces et sa santé de naguère.

(Branche I, vers 1352 à 1620.)

notes

1. **une extrême lassitude :** une très grande fatigue.   2. **pelisse :** peau de bête.   3. **le croupion d'une géline :** le derrière d'une poule.

Au fil du texte

AVEZ-VOUS BIEN LU ?

1. Par qui et à quelle peine Renart est-il condamné ? Qui doit la faire appliquer ?

2. Comment se comportent les animaux après la condamnation de Renart ? Pourquoi ?

3. Comment se comportent-ils après le retour en grâce de Renart ?

4. Quels traits de caractère révèle ce changement d'attitude ?

5. Qu'a demandé Renart au roi pour se sortir de ce mauvais pas et quelle promesse lui a-t-il faite ?

6. La tient-il ? Justifiez votre réponse à partir du texte.

7. Que demande Noble à ses barons lorsqu'il se voit trahi ?

8. Les barons réussissent-ils dans leur mission ? Justifiez votre réponse à partir du texte.

champ lexical : ensemble des mots se rapportant à une même idée, à un même thème.

ÉTUDIER LE VOCABULAIRE ET LA GRAMMAIRE

9. Dans le dernier paragraphe du texte, relevez les mots et expressions appartenant au champ lexical★ de la tendresse, de l'affection.

10. Dans l'adjectif « *impatients* » (ligne 115), relevez le radical et le préfixe. Donnez le sens du préfixe.

11. Indiquez quelles sont les trois autres orthographes, ayant le même sens, que peut prendre ce préfixe. Former trois couples de mots sur le modèle « patient/impatient ».

ÉTUDIER LE DISCOURS

12. Comment s'y prend Renart pour convaincre le roi Noble de lui laisser la vie sauve (lignes 22 à 31) ?

13. Quels arguments utilise Grimbert pour soutenir son cousin (lignes 32 à 38) ?

14. Quelle phrase de Noble montre qu'il est conscient de sa faiblesse à l'égard de Renart (lignes 46 à 49) ?

ÉTUDIER L'ÉCRITURE

15. Comment appelle-t-on le procédé d'écriture qui consiste à additionner une suite de mots placés entre virgules comme dans les lignes 113 à 120 ?

16. En quoi ce procédé d'écriture est-il comique ici ?

ÉTUDIER UN THÈME : CROISADES ET PÈLERINAGES

17. Renart se fait croisé et pèlerin. En vous aidant de votre manuel d'histoire, faites une fiche sur les pèlerinages et les croisades.

À VOS PLUMES !

18. Renart, poursuivi par la meute des animaux, court vers Maupertuis. Faites-le parler sous la forme d'un monologue⋆ dans lequel il commentera sa situation et exprimera ses sentiments.

LIRE L'IMAGE

19. Relevez le passage du texte illustré par cette miniature (document page 96).

20. Comment sont placés les personnages ? Que font-ils ?

21. Que veut ainsi exprimer le miniaturiste ?

monologue :
discours qu'un personnage s'adresse à lui-même.

Le siège de Maupertuis

L'assaut donné à Maupertuis et la capture de Renart

Messire[1] Noble arrive au château où se trouve Renart. Il découvre une construction très solide, entourée de fossés
5 bien entretenus, et faite de murailles, de tours, de palissades[2] très épaisses et très résistantes, de forts et de donjons[3] si hauts qu'aucun arc d'arbalètes ne peut les atteindre. Le pont-levis et les chaînes sont remontés. Le château est construit sur un rocher. Le roi, suivi de tous
10 ses barons, s'en approche aussi près qu'il le peut. L'armée se disperse autour du château ; chaque combattant installe sa tente.

Renart pourrait avoir peur ; mais il sait que jamais aucun assaut ne viendra à bout de son château, que jamais on
15 ne le lui enlèvera par la force. Renart monte au sommet

notes

1. messire : monseigneur.
2. palissades : fortifications faites de pièces de bois.

3. donjons : le donjon désigne la tour principale du château dans laquelle le seigneur vit avec sa famille.

Le siège de Maupertuis, miniature du XIVe **siècle**
extraite du *Roman du petit Renart* **de Gelée Vélin.**

de la tour et voit Hersent et Ysengrin s'installer sous un pin. Il leur crie d'une voix forte :

– Beaux doux[1] amis, écoutez-moi ! Comment trouvez-vous mon château ? En avez-vous déjà vu d'aussi beau ? […]

20 – Renart, répond le roi, votre château est beau et très solide ; mais rien ne m'empêchera de l'assiéger et je ne retournerai pas chez moi avant de l'avoir pris. Je vous fait serment que je l'attaquerai aussi longtemps que je vivrai. Rien, ni la pluie, ni l'orage, ne me fera abandonner avant que votre château

25 ne se rende et que vous soyez vous-même pendu.

– Sire[2], répond Renart, de telles menaces n'effrayent que les poltrons[3] et les lâches. Ce n'est pas avant de longues années que je me rendrai car j'ai assez de vivres pour tenir pendant sept ans : j'ai des coqs gros et gras en quantité, des gélines[4]

30 en grand nombre ; j'ai aussi des œufs, des fromages, des brebis et des vaches à profusion ; ce château a également une source où l'eau coule très claire et très pure. Soyez sûr que ce château est si bien situé que jamais il ne pourra être pris par la force. Installez-vous, je vous laisse. Je suis las et m'en

35 vais dîner avec ma chère et tendre épouse. Peu me soucie si vous n'avez rien à manger. […]

Le roi convoque alors ses barons et s'adresse à eux en ces termes :

– Sires, préparez-vous à donner l'attaque, car je veux capturer

40 ce misérable larron[5].

C'est avec joie et ardeur[6] que tous se dirigent vers le château. L'assaut est terrible ! Le combat fait rage toute la journée. Seule l'arrivée de la nuit contraint les assaillants à

---

notes

1. beaux doux : en ancien français, ces adjectifs, placés devant un nom de personne, signifiaient chers .

2. sire : seigneur.

3. poltrons : peureux.

4. gélines : poules.

5. larron : voleur.

6. ardeur : excitation et plaisir.

cesser le combat. Le lendemain, dès qu'ils ont mangé, les
45 barons renouvellent leur attaque. Malgré leurs efforts, ils ne
parviennent pas à desceller la plus petite pierre au château.
Pendant six mois, il ne se passe pas un jour sans que le roi et
ses barons ne donnent l'assaut à la forteresse, toujours sans
résultats.
50 Un soir, alors que tous sont épuisés et se sont endormis, l'un
sous un chêne, l'autre sous un hêtre, l'autre encore sous un
frêne, Renart sort de son château. Pendant que les barons
dorment ainsi paisiblement, Renart, l'un après l'autre, les
attache à l'arbre le plus proche, les uns par la queue, les autres
55 par la patte. Il n'oublie pas Noble le roi et choisit de l'attacher par la queue. Et ce serait un grand miracle si celui-ci
réussissait à se détacher ! […]
Lorsque le jour se lève, messire Noble veut se mettre debout :
il tire et tire encore, sans résultat ; peu s'en faut qu'il ne
60 s'arrache la queue. Elle s'est allongée d'un demi-pied[1] ! Les
autres bêtes, elles non plus ne peuvent se lever. Elles tirent
aussi au risque de s'arracher la peau du derrière. Mais
Renart avait oublié d'attacher dan[2] Tardif le limaçon qui
porte l'étendard. Il court délier les autres. Il tire son épée et
65 tranche les nœuds. Il va si vite que certains y perdent leur
queue. Tous, aussi vite qu'ils peuvent, se dirigent vers
Renart. Dès qu'il les voit venir, Renart cherche à fuir. Au
moment où il entre dans sa tanière, Tardif se conduit en
preux[3] chevalier : il saisit Renart par derrière et le tire par
70 une patte.
Le roi et les autres barons les rejoignent. Tardif, qui tient
Renart, le remet au roi. Chacun veut se saisir de Renart ;

notes

1. un demi-pied : environ quinze centimètres.

2. dan : seigneur. C'est le masculin de dame.

3. preux : vaillant et courageux.

tous sont heureux de voir Renart capturé et sur le point d'être pendu.

75 — Messire, dit Ysengrin au roi, pour l'amour de Dieu, livrez-moi Renart. J'en tirerai une si grande vengeance qu'on le saura par tout le pays de France.

Mais le roi refuse, ce qui fait le bonheur de tous. Il fait bander les yeux de Renart[1] et s'adresse à lui :

80 — Renart, je vois ici tous les instruments de torture qui vont vous faire payer les crimes que vous avez commis durant votre vie. On va vous passer la corde au cou.

Dan Ysengrin se lève, saisit Renart par le cou et lui assène un terrible coup de poing. Brun l'ours l'attrape par la nuque

85 et le mord à la cuisse. Roënel l'empoigne à la gorge et lui fait faire trois tours dans un champ d'orge. Tibert le chat, dents et griffes acérées, agrippe Renart par la pelisse[2]. Tardif, qui porte l'étendard, le frappe sur la croupe. Le rat Pelé se jette sur lui. Renart le saisit à la gorge et le serre de toutes

90 ses forces jusqu'à ce qu'il rende le dernier soupir. Mais, dans la cohue, cette mort passe inaperçue. En effet, toutes les bêtes veulent approcher Renart pour prendre part au châtiment. Renart, l'universel trompeur, frappe dans tous les sens et ne sait plus que faire. Vous connaissez le proverbe : le malheur

95 fait connaître les vrais amis. Seul, dan Grimbert, son cousin, reste son ami dans le malheur et cherche comment lui venir en aide. […] Lorsqu'il voit que Renart a la corde au cou et qu'Ysengrin est sur le point de le hisser en haut de la potence[3], Grimbert prend la parole :

---

notes

1. il fait bander les yeux de Renart : les prisonniers conduits au supplice avaient les yeux bandés.

2. pelisse : peau d'une bête.

3. potence : poutre à laquelle le condamné est pendu.

La pendaison de Renart,
illustration de J. Pinchon (1900).

100 — Renart, il n'y a pas d'autre solution, l'heure de votre mort a sonné ; il faut en passer par là. Vous devriez vous faire confesser et régler votre succession entre vos trois enfants.

— Vous avez raison, répond Renart. Il est juste que chacun ait sa part. Je lègue à mon fils aîné mon château qui jamais ne 105 pourra être pris par aucun homme au monde. Mes autres forteresses, je les lègue à ma femme aux courtes tresses. À mon fils Percehaie, je lègue l'essart[1] de Tibert Fressaie, où il y a tant de souris et de rats. Il n'y en a pas autant entre ici et Arras ! À Rovel, mon petit dernier, je lègue l'essart de 110 Thivaud Forel et le jardin derrière la ferme où il y a maintes gélines[2] blanches. Je n'ai plus aucun bien à partager, mais avec ceux-ci, ils pourront vivre largement.

— Votre fin est proche, dit Grimbert, et je suis votre cousin. Il serait juste que vous me laissiez quelque chose.

115 — Vous dites vrai, reprend Renart. Si ma femme se remarie, par la foi que je dois à sainte Marie, enlevez-lui ce que je lui ai légué et maintenez la paix sur mes terres. Elle aura vite fait de m'oublier lorsque je serai mort. À peine une femme a-t-elle enterré son mari qu'elle se retourne pour voir si 120 elle trouve un homme à son goût. Ma femme se comportera comme les autres et, avant trois jours, elle aura retrouvé le bonheur.

Une dernière fois, Renart tente de sauver sa peau :

— Messire, dit-il, si vous le permettez, je pourrais expier mes 125 fautes en me faisant moine ou chanoine[3]. Je renoncerais définitivement à ce monde qui ne m'inspire que du dégoût.

---

notes

1. essart : terrain défriché.

2. maintes gélines : de nombreuses poules.

3. moine ou chanoine : hommes qui consacrent leur vie à Dieu. Ils vivent le plus souvent en communauté.

À peine a-t-il prononcé ces paroles, qu'Ysengrin intervient :
– Sale traître, que dîtes-vous ? Vous voulez nous berner[1] une
fois encore ? La corde est la seule chose que vous méritiez.

130 – Ysengrin, dit le roi, occupez-vous de le pendre. Je ne peux
attendre plus longtemps.

(Branche Ia, vers 1621 à 2034.)

note

1. berner : duper, tromper.

Au fil du texte

AVEZ-VOUS BIEN LU ?

1. Pourquoi Noble et ses barons se voient-ils obligés de donner l'assaut à Maupertuis ? (Pensez que cet épisode est la suite directe du précédent.)

2. Pendant combien de temps assiègent-ils Maupertuis ?

3. Par qui Renart est-il capturé ? En quoi est-il responsable de sa capture ?

4. Comment se comportent les animaux à l'égard de Renart ?

5. Qui, une fois encore, vient en aide à Renart ? De quelle façon ?

6. Que demande Renart au roi pour se sortir de ce mauvais pas ?

7. Que décide le roi ?

champ lexical : ensemble des mots se rapportant à une même idée, à un même thème.

ÉTUDIER LE VOCABULAIRE ET LA GRAMMAIRE

8. Relevez tous les termes appartenant au champ lexical* du château fort (lignes 1 à 12).

9. Relevez tous les termes appartenant au champ lexical de la nourriture (lignes 26 à 36).

10. Relevez quatre verbes synonymes de « prendre » (lignes 83 à 92) et aidez-vous du dictionnaire pour donner une définition précise de chacun d'eux.

ÉTUDIER LE DISCOURS

11. « *Vous connaissez le proverbe* » (ligne 94) : dans cette phrase, qui est l'émetteur★ ? Qui est le récepteur★ ?

12. Dans le passage allant de « *Tous, aussi vite...* » jusqu'à « *... Je ne peux attendre plus longtemps* » (lignes 66 à 131), relevez les éléments du discours narratif qui sont identiques ou très proches de ceux rencontrés dans *Renart, condamné à être pendu, se fait pèlerin* (aidez-vous des questions 4, 5 et 6).

ÉTUDIER L'ÉCRITURE

13. Étudiez comment l'auteur rend sensible le fait que Renart et son château résisteront à tout assaut (procédés de style, vocabulaire, utilisation des adjectifs...), lignes 1 à 36.

14. Étudiez comment l'auteur traduit la violence physique dont Renart est l'objet (lignes 82 à 95).

ÉTUDIER UN THÈME

15. En quoi Renart fait-il la satire★ des femmes dans les lignes 118 à 122 ?

16. Un exemple d'héritage (lignes 103 à 122) : qui va hériter des biens de Renart ?

À VOS PLUMES !

17. Rédigez une courte description de l'armée de Noble en rendant sensible son importance et sa puissance.

MISE EN SCÈNE

18. Jouez le monologue★ de Renart.

émetteur : personne qui envoie le message.

récepteur : personne à qui le message est transmis.

satire : critique moqueuse d'une personne ou d'une société.

monologue : discours qu'un personnage s'adresse à lui-même.

Renart sauvé par dame Hermeline son épouse

Soudain, le roi aperçoit, en bas dans la plaine, une importante troupe à cheval comptant beaucoup de femmes. À leur tête,

5 dame Hermeline, l'épouse de Renart, que ses pleurs n'empêchent pas d'avancer aussi rapidement que l'éclair. Ses trois fils la suivent de près et, comme elle, montrent grande douleur et grand désespoir : ils s'arrachent les cheveux et déchirent leurs vêtements. Ils poussent de tels cris qu'on les

10 entend à plus d'une lieue[1]. Ils amènent avec eux un cheval chargé de richesses pour racheter Renart. Tous quatre vont se jeter aux pieds du roi. Dame Hermeline s'écrie :

– Sire, pitié pour mon époux, au nom de Dieu le créateur ! Je vous donnerai tous ces biens si vous acceptez de lui faire

15 grâce.

Le roi Noble aperçoit le trésor composé d'or et d'argent. Il en a grande envie et pourtant répond :

– Dame, par la foi que je vous dois, il faut que je vous dise que Renart n'a pas mes faveurs. Il a fait trop de tort à mes

20 vassaux[2]. Je dois faire justice puisque jamais il ne s'est corrigé de ses méfaits[3]. Il a bien mérité la pendaison. Tous les barons[4] la réclame et si je veux être loyal envers eux, je dois faire exécuter la sentence[5].

– Sire, au nom de Dieu en qui vous croyez, pardonnez-lui

25 cette fois encore.

notes

1. lieue : unité de mesure des distances ; une lieue vaut environ 4,5 kilomètres.

2. vassaux : seigneurs qui dépendent d'un seigneur plus puissant.

3. méfaits : crimes.

4. barons : seigneurs les plus puissants du royaume.

5. sentence : décision prise par l'assemblée des barons.

– Pour l'amour de Dieu et par amitié pour vous, je lui pardonne cette fois encore. Mais au premier méfait, il sera pendu.

– Sire, répond dame Hermeline, j'y consens.

30 Le roi fait libérer Renart de ses liens et le fait venir près de lui. Renart s'avance à petits sauts, gai et joyeux.

– Renart, dit le roi, faites attention. Au premier manquement à votre parole vous serez pris et pendu.

– Sire, répond Renart, que Dieu me garde de faire quoi que 35 ce soit qui mérite la pendaison.

Renart laisse éclater sa joie. Mais Ysengrin aurait préféré être mort plutôt que de voir Renart libre ! Tous ont peur qu'il ne leur fasse à nouveau des ennuis.

(Branche Ia, vers 2035 à 2102.)

Le duel de Renart et Ysengrin

Mais Renart ne respecte pas ses engagements et continue de duper les animaux. Ysengrin décide d'être leur champion[1] et demande d'affronter Renart en combat singulier[2]. Au jour dit, Ysengrin et Renart sont conduits jusqu'au champ où doit se dérouler le duel.

Noble fait venir le chapelain[3], le sage et discret Belin. Il tient devant lui le reliquaire[4] sur lequel les deux champions prononceront le serment. Le roi fait solennellement rappeler que personne, dans l'assistance, ne doit faire de
5 scandale en paroles ou en gestes. Sire[5] Brichemer rappelle les modalités du serment.

– Seigneurs, dit Brichemer, écoutez-moi, et qu'on me reprenne si je parle mal. Renart va jurer le premier qu'il n'a fait aucun tort à Ysengrin ; qu'il n'a pas été déloyal envers
10 Tibert ; qu'il n'a pas joué de méchants tours à Tiécelin, à la Mésange, à Roënel, à Brun, ni à Chantecler. Approchez, Renart !

Renart fait deux pas en avant, se met à genoux, rejette son manteau sur ses épaules, demeure quelque temps en
15 oraison[6], étend la main sur les reliques[7], et jure, par saint Germain et les autres corps saints, là présents, qu'il n'a pas le moindre tort dans la querelle. Cela dit, il baise le reliquaire et se relève. Ysengrin, surpris et indigné de le voir ainsi mentir en présence de Dieu et des hommes, approche à son tour.

notes

1. champion : le défenseur d'une cause.

2. en combat singulier : au cours d'un duel.

3. chapelain : prêtre attaché au service d'un roi.

4. reliquaire : coffret qui contient les restes du corps d'un saint.

5. sire : seigneur.

6. oraison : prière.

7. reliques : restes du corps d'un saint.

20 — Beau doux[1] ami, lui dit Brichemer, vous allez jurer que Renart a prononcé un faux serment et que le vôtre est seul vrai.

— Je le jure ! dit Ysengrin.

Cela fait, il baise les saints, se relève, avance un peu dans le
25 champ, et fait une oraison pour que Dieu lui laisse venger sa honte et reconquérir son honneur. Puis, après avoir baisé la terre, il prend et manie son bâton, le balance en tous sens, en tenant la courroie dans sa main droite. Il prend son écu[2], salue la foule avec élégance, et avertit Renart de bien se
30 tenir.

Face à Ysengrin, Renart éprouve de l'inquiétude. Renart tente de se souvenir des formules magiques apprises dans son enfance et destinées aux combats singuliers, mais il n'y parvient pas. Cependant, persuadé que l'escrime a une vertu
35 suffisante, il empoigne son bâton, le brandit deux ou trois fois, entoure la courroie autour de son avant-bras, embrasse son écu, et se sent aussi ferme qu'un château défendu par de hautes murailles. Voyons maintenant ce qu'il saura faire.

Ysengrin attaque le premier, comme c'est le droit de
40 l'offensé. Renart s'avance, la tête protégée par l'écu. Ysengrin le frappe et l'injurie en même temps :

— Méchant nain ! Que je sois pendu, si je ne venge ici ma femme épousée !

— Sire Ysengrin, tenez-moi quitte ; prenez l'amende que je
45 vous offre. Je me reconnaîtrai pour votre vassal[3], je quitterai le pays, je m'en irai outre-mer[4].

---

notes

1. beau doux : expression qui, placée devant un nom, signifie cher.

2. écu : bouclier.

3. vassal : seigneur qui dépend d'un seigneur plus puissant.

4. je m'en irai outre-mer : je me ferai croisé.

– Il s'agit bien de ce que tu feras en sortant de mes mains !
Tu ne seras plus alors en état de voyager.

– Rien n'est prouvé avec certitude. On verra qui demain
50 sera le mieux en point.

Ysengrin se précipite, l'autre l'attend l'écu sur le front, le
pied avancé, la tête bien couverte. Ysengrin pousse, Renart
résiste et, d'un coup de bâton adroitement lancé près de
l'oreille, il étourdit son adversaire et le fait chanceler. Le sang
55 jaillit de la tête ; Ysengrin se signe, en priant Dieu de le
protéger. Est-ce que, d'aventure, sa femme épousée serait
complice de Renart ? Il voit trouble. Si on lui avait demandé
s'il était tierce ou none[1], et quel temps il faisait, il aurait eu
grand peine à répondre. Renart le suit des yeux, et, s'il hésite
60 à prendre l'offensive, au moins se prépare-t-il à bien soutenir une deuxième attaque.

– Que tardez-vous, Ysengrin ? Pensez-vous la bataille finie ?
s'exclame Renart.

Ces mots réveillent l'époux de Hersent ; il avance de nou-
65 veau ; le pied tendu, il brandit son bâton et le lance d'une
main sûre. Renart l'esquive[2] à temps et le coup ne frappe
que l'air.

– Vous le voyez, sire Ysengrin, continue Renart, Dieu est
pour mon droit ; vous aviez jeté juste et pourtant vous avez
70 donné à faux. Croyez-moi, faisons la paix, si toutefois vous
tenez à votre honneur.

– Je tiens à t'arracher le cœur, et je me ferai moine[3] si je n'y
parviens pas, s'exclame Ysengrin.

---

notes

1. tierce ou none : la troisième heure (neuf heures du matin) ou la neuvième heure (trois heures de l'après-midi) de la journée.

2. esquive : évite.

3. moine : homme qui consacre sa vie à Dieu. Il vit le plus souvent en communauté.

Puis il retourne à la charge, le bâton dissimulé sous l'écu ;
75 tout à coup, il le dresse et va frapper Renart à la tête. L'autre
amortit le coup en se baissant ; et, profitant du moment où
Ysengrin se découvre, il l'atteint de son bâton assez
fortement pour lui casser le bras gauche. Tous deux jettent
leurs écus, se battent corps à corps, se déchirent à qui mieux
80 mieux, font jaillir le sang de leur poitrine, de leur gorge, de
leurs flancs. Difficile de dire qui l'emportera. Ysengrin a
pourtant les dents les plus aiguës ; les ouvertures qu'il
pratique dans la peau de son ennemi sont plus larges et plus
profondes. Renart a recours au tour anglais : il serre Ysengrin
85 en lui donnant un croc-en-jambe qui le renverse à terre.
Sautant alors sur lui, il lui brise les dents, lui crache entre les
lèvres, lui arrache les dents avec ses ongles, et lui poche les
yeux de son bâton.

– Compère[1], lui dit Renart, nous allons voir qui de nous
90 deux a droit[2]. Vous m'avez cherché querelle à propos de
dame Hersent : quelle folie de vous être soucié de si peu de
choses, et comment peut-on avoir confiance dans une
femme ! Il n'en est pas une qui le mérite ; c'est par elles
qu'arrivent toutes les querelles, par elles la haine entre les
95 parents et les amis ; c'est par elles que les vieux compères
en viennent aux mains ; elles sont la source de tous les
désordres. On me dirait d'Hermeline tout ce qu'on
voudrait, je n'en croirais pas un mot, et je ne mettrais
assurément pas ma vie en danger pour elle.
100 Ainsi raille Renart, tout en faisant pleuvoir les coups sur les
yeux, le visage d'Ysengrin, tout en lui arrachant les poils et

notes

1. **compère :** camarade.

2. **qui de nous deux a droit :**
qui de nous deux a raison.

la peau. Mais, par un faux mouvement, le bâton avec lequel il frappe le corps de son ennemi lui échappe. Le loup tente de se relever mais n'y parvient pas à cause de son bras cassé.

105 Renart a donc l'avantage quand, pour son malheur, son doigt glisse dans la mâchoire d'Ysengrin. Celui-ci serre autant qu'il peut et lui tranche la chair jusqu'à l'os. Pendant que la douleur fait jeter un cri à Renart, Ysengrin lui maintient le bras derrière le dos, le couche à terre et lui monte

110 sur le ventre. Voilà les rôles changés ! Renart ne veut pas le châtiment de son faux serment. Entre les genoux d'Ysengrin, il implore tous les saints de Rome. Mais rien n'y fait, Ysengrin ne lui épargne pas les coups. Après l'avoir battu, frappé et laissé pour mort, Ysengrin se relève ; il est

115 proclamé vainqueur. Les barons accourent de tous côtés

Le duel de Renart et Ysengrin, miniature de la fin du XIIIe siècle.

pour le féliciter. Jadis les Troyens n'eurent pas autant de joie quand ils virent entrer Hélène[1] dans leur ville que n'en témoignent Brun l'ours, Tiécelin le corbeau, Tibert le chat, Chantecler le coq et Roënel le mâtin quand ils voient la
120 défaite de Renart.

Vainement, la famille du vaincu demande à être entendue par le roi. Celui-ci ordonne que le traître soit pendu sur-le-champ. Tibert lui bande les yeux, Roënel lui lie les poignets, quand soudain, pour le plus grand malheur des barons,
125 Renart revient à lui.

(Branche VI, vers 1066 à 1356.)

Renart, revenu à lui, demande un confesseur. Le roi lui accorde cette faveur puis accepte, à la demande de Grimbert le blaireau, ami et cousin de Renart, et de Bernard l'âne, moine à l'abbaye de Grand-Mont, que Renart devienne moine. Mais Renart ne peut s'empêcher de dévorer les poules et les coqs du couvent ; chassé par les moines, il regagne Maupertuis et recommence ruses, tromperies, vols et autres méfaits.

note

1. Hélène : le poète fait ici allusion à l'enlèvement d'Hélène, femme du Grec Ménélas, par le prince troyen Paris.

Au fil du texte

QUE S'EST-IL PASSÉ ENTRE-TEMPS ?

1. Quel coup de théâtre* a permis à Renart de
retrouver la liberté ?

2. Quel trait de caractère de Noble apparaît ici ?

3. Que redoutent les animaux ?

*coup de théâtre :
événement
inattendu
qui a pour
conséquence
une
modification
radicale
de l'action.*

AVEZ-VOUS BIEN LU ?

4. Faites la liste des différentes étapes du duel en
indiquant les parties correspondantes du texte.

5. Renart est-il honnête lorsqu'il jure « *qu'il n'a
pas le moindre tort dans la querelle* » qui l'oppose
aux autres animaux ? Justifiez votre réponse à partir
des différents épisodes que vous avez lus.

6. Qui, en définitive, est vainqueur ? Justifiez votre
réponse à partir du texte.

ÉTUDIER LE VOCABULAIRE

7. Quel sens donne-t-on aujourd'hui au nom
« roman » ?

8. Quel sens lui donnait-on à l'époque du *Roman
de Renart* ?

ÉTUDIER LE DISCOURS

9. Le narrateur est-il un personnage qui appartient ou qui n'appartient pas à l'histoire ? Justifiez votre réponse en indiquant à quelle personne est écrit le récit.

10. Relevez une phrase dans laquelle le narrateur s'adresse au public (lignes 34 à 38).

11. Relevez une phrase dans laquelle le narrateur donne son opinion sur l'issue du combat (lignes 78 à 84).

ÉTUDIER L'ÉCRITURE

12. Relevez dans le récit du combat (lignes 64 à 87 et lignes 100 à 115) les mots et expressions appartenant au champ lexical★ de la lutte, de la violence et de la cruauté.

13. Expliquez en quoi ce récit est caricatural★.

ÉTUDIER LE GENRE DU TEXTE

14. En vous aidant des questions 12 et 13 dites en quoi ce texte s'appuie sur la parodie★ pour déboucher sur la satire★.

ÉTUDIER UN THÈME : LA CRITIQUE DES FEMMES

15. À quelles lignes Renart se livre-t-il à une nouvelle critique des femmes ? Que leur reproche-t-il ?

champ lexical : ensemble des mots se rapportant à une même idée, à un même thème.

caricatural : qui exagère ou déforme les caractéristiques d'un être ou d'une chose.

parodie : imitation comique qui accentue les défauts d'une institution, d'une coutume…

satire : critique moqueuse d'une personne, d'une société ou d'un fait de société.

À VOS PLUMES !

16. Imaginez une nouvelle aventure que Renart vivra après être sorti de l'abbaye de Grand-Mont.

LIRE L'IMAGE

17. Comment sont représentés Renart et Ysengrin (document p. 117) ?

18. Quelles pièces de l'armement d'un chevalier reconnaissez-vous ?

19. Quelle action accomplit Renart ? Cela est-il conforme au récit du duel ?

Retour sur l'œuvre

1. Remettez dans l'ordre du récit les épisodes suivants :
a) Renart et Tiécelin
b) Ysengrin, moine et pêcheur
c) Renart et Chantecler
d) Renart, Ysengrin et le jambon
e) Renart vole les bacons d'Ysengrin
f) Renart et Tibert le chat
g) Renart et les anguilles

2. Qui porte plainte en premier contre Renart ?
....

3. Dame Pinte accuse Renart d'avoir blessé Copette : vrai ou faux ?

4. Quel événement décide Noble à juger Renart ?
....

5. Complétez chacune des trois phrases suivantes.
a) Après son jugement, Renart échappe à la mort en
....
b) Après sa capture à Maupertuis, Renart échappe à la mort en ....
c) Après le duel avec Ysengrin, Renart échappe à la mort en ....

6. À la fin du *Roman de Renart*, le vainqueur est Ysengrin : vrai ou faux ?

7. Quel lien de parenté unit Ysengrin et Renart ?
a) père et fils.   *d)* beaux-frères.
b) cousins.   *e)* frères.
c) oncle et neveu.

8. Rendez à chacun sa chacune.

a) Renart   1. Pinte

b) Ysengrin   2. Fière

c) Noble   3. Hermeline

d) Chantecler   4. Hersent

9. Indiquez quels sont les moyens utilisés par les auteurs pour obtenir la personnification des animaux. Donnez un exemple de chacun de ces moyens.

10. Placez dans la grille le nom propre donné par les auteurs à chacun des animaux suivants : le blaireau, le coq, le corbeau, le goupil, le lièvre, le limaçon, le lion, le loup, l'ours, la poule, le taureau.

11. Donnez le nom de deux auteurs ayant écrit un texte intitulé *Le Corbeau et le Renard*.

....

12. *Le Roman de Renart* a été composé au :
a) Xe siècle.
b) XIIe siècle.
c) XIIIe siècle.
d) XVe siècle.
e) XVIIe siècle.

13. Combien d'auteurs ont collaboré à sa rédaction ?
....

14. Quelles catégories sociales apparaissent dans *Le Roman de Renart* :
a) les paysans.
b) les chevaliers.
c) les bourgeois.
d) les prêtres.
e) les ouvriers.

15. Donnez la définition du terme « parodie » et retrouvez-en un exemple dans *Le Roman de Renart*.
....
....

16. Donnez la définition du terme « satire » et retrouvez-en un exemple dans *Le Roman de Renart*.
....
....

17. *Le Roman de Renart* est :
a) une chanson de geste.
b) un roman courtois.
c) une fable.
d) une œuvre satirique.
e) une parodie des chansons de geste et des romans courtois.

Dossier
Bibliocollège

Schéma narratif

LE JUGEMENT DE RENART

À la cour de Noble

1. La plainte d'Ysengrin. Ysengrin accuse Renart d'avoir violé son épouse. Les barons demandent justice. ➤ Noble refuse.

2. La plainte de Pinte et Chantecler. Ils accusent Renart d'avoir tué dame Copette. Les barons demandent justice. ➤ Noble accepte et envoie Brun à Maupertuis.

3. Brun revient seul. La plainte de Brun contre Renart. ➤ Noble envoie Tibert à Maupertuis.

4. Tibert revient seul. La plainte de Tibert contre Renart. ➤ Noble envoie Grimbert à Maupertuis.

5. Grimbert ramène Renart. ➤ Noble traduit Renart en jugement.

6. Renart présente sa défense à la cour. ➤ Noble le condamne à la pendaison.

7. Renart demande à être sauvé en se faisant pèlerin. ➤ Noble accepte.

8. Renart trahit sa promesse et se moque de Noble. ➤ Noble demande à ses barons de capturer Renart. ➤

À Maupertuis

Renart à Maupertuis.

Brun gagne Maupertuis. Renart le trompe : Brun se trouve coincé dans la fente d'un tronc et s'arrache la peau du visage pour retrouver sa liberté.

Tibert gagne Maupertuis. Renart l'emmène déguster des souris chez un prêtre, Tibert est roué de coups.

Grimbert gagne Maupertuis et persuade Renart de se rendre à la cour de Noble.

Les barons se lancent à la poursuite de Renart qui se réfugie à Maupertuis.

Il était une fois des auteurs médiévaux

De Pierre de Saint-Cloud au prêtre de la Croix-en-Brie

Le Roman de Renart n'est pas l'œuvre d'un seul auteur :
pendant près de trois quarts de siècle, de 1175 à 1250,
une vingtaine de clercs* racontent la lutte interminable
qui oppose Renart, le goupil, à Ysengrin, le loup. Des
auteurs de ces récits, auxquels Renart donne leur unité,
seuls trois sont connus : Pierre de Saint-Cloud, Richard
de Lison, et le prêtre de la Croix-en-Brie.

• Pierre de Saint-Cloud

Pierre de Saint-Cloud, poète cultivé et adroit, qui a
acquis des connaissances en droit auprès des tribunaux
et des gens de lois, est le premier à conter en français les
aventures du goupil Renart. C'est vraisemblablement
entre 1174 et 1177 qu'il a composé, en octosyllabes –
vers de huit syllabes –, les deux plus anciens récits du
Roman de Renart, la branche II et la branche Va. Le succès
de Renart est tel que, lorsque le poète interrompt son
œuvre, des continuateurs la poursuivent. L'auteur de la
branche I, qui reste inconnu, dit continuer l'œuvre de
« *Pierrot, qui mit tout son talent à écrire en vers l'histoire de
Renart et Ysengrin son compère* » (page 67) ; celui de la
branche XVI parle de « *Pierre qui de Saint-Cloud fut né* ».
Pierre de Saint-Cloud a collaboré, vers 1180, à la
quatrième partie d'une œuvre intitulée *Le Roman
d'Alexandre* : celui-ci raconte, en vers de douze syllabes,
plus tard baptisés alexandrins, les aventures d'Alexandre
le Grand.

Vocabulaire

clerc :
prêtre ou moine

branche :
série d'histoires

Dates clés

1175-1250 :
une vingtaine
d'auteurs
dont trois
sont connus.

1174-1177 :
Pierre de Saint-
Cloud compose
les premières
aventures
de Renart.

Il était une fois des auteurs médiévaux

• Richard de Lison

Richard de Lison, auteur de la branche XII vers 1190, précise son identité à la fin de ses écrits : « *ceci vous a dit Richard de Lison* ». De nombreux passages de son œuvre montrent une grande connaissance des pratiques religieuses et traitent de faits précis concernant le monde religieux normand de la fin du XIIe siècle. Tout cela permet de penser qu'il s'agit d'un clerc normand.

• Le prêtre de la Croix-en-Brie

Le prêtre de la Croix-en-Brie, auteur de la branche IX au commencement du XIIIe siècle, se présente au début de son œuvre : « *Un prêtre de la Croix-en-Brie* [...] *a mis tout son soin et toute son application à faire une nouvelle branche sur Renart qui s'y connaît en tromperie.* » Rien ne permet de savoir avec certitude s'il fut réellement prêtre ou si ce nom n'est qu'un pseudonyme. La vie rustique et villageoise dont il dresse un tableau très précis correspond à celle de l'Ile-de-France aux XIIe et XIIIe siècles.

LES AUTRES AUTEURS

D'eux, nous ne savons rien, sinon qu'ils appartenaient à des ordres religieux, qu'ils connaissaient les questions juridiques et religieuses et qu'ils vécurent vraisemblablement en Ile-de-France.

Dates clés

1190 :
Richard de Lison, un clerc (prêtre ou moine) normand compose d'autres aventures de Renart.

Fin du XIIe siècle :
le prêtre de la Croix-en-Brie compose d'autres aventures de Renart.

Vivre aux XIIe et XIIIe siècles

La rédaction du *Roman de Renart* s'inscrit dans le cadre de la société féodale* et coïncide avec une période de transformations politiques, économiques et sociales.

LES CHEVALIERS : UNE HIÉRARCHIE DE SEIGNEURS ET DE VASSAUX

Le seigneur consacre la plus grande partie de son temps à la guerre. Il est aidé par des chevaliers moins fortunés que lui qui sont ses vassaux et dont il est le suzerain. Ces vassaux, en rendant hommage à leur suzerain et en lui prêtant serment de fidélité, s'engagent à le servir militairement, à le conseiller et à l'aider financièrement. Le suzerain s'engage à protéger ses vassaux et pour leur assurer un revenu, leur donne une terre, le fief*. Au sommet de cette hiérarchie, le roi de France auquel le sacre donne une dignité particulière : il ne prête hommage à personne, mais reçoit celui des seigneurs les plus puissants, suzerains de nombreux vassaux. Philippe Auguste (1180-1223) commence l'unification de la France. Avec Louis IX dit Saint Louis (1226-1270) la France du Moyen Âge est à son apogée.

DES HOMMES TRÈS DÉPENDANTS DU SEIGNEUR

Vilain – il est libre – ou serf – il appartient au seigneur corps et bien –, le paysan cultive une terre qu'il tient du seigneur et pour laquelle il paye de lourds impôts. Les habitants des bourgs dépendent eux aussi d'un seigneur auquel ils versent de lourdes redevances. Mais,

Vocabulaire

société féodale : société qui repose sur les rapports d'homme à homme ; l'adjectif féodal a été formé à partir du nom « fief ».

fief : terre qu'un seigneur donne à son vassal en échange de sa fidélité.

Dates clés

Philippe- Auguste, 1180-1223 : début de l'unification de la France.

Louis IX dit Saint Louis, 1226-1270 : apogée de la France du Moyen Âge.

À retenir

Les bourgeois :
ils dirigent les villes et en sont les plus riches habitants.

L'Église :
elle dirige toute la société.

Huit croisades (aux XIIᵉ et XIIIᵉ siècles expéditions militaires contre les Mulsulmans) : Jérusalem ne sera pas reconquise.

mieux organisés, ils obtiennent souvent de celui-ci une charte, texte qui leur donne le droit de s'administrer selon leurs lois. Ce sont alors les plus riches des citadins, les bourgeois, qui administrent la ville à leur profit, se montrant parfois très durs avec les plus pauvres ; dès le XIIIᵉ siècle, leurs excès provoquent des révoltes sanglantes.

UNE ÉGLISE TOUTE PUISSANTE

Les hommes, très religieux, espèrent après leur mort être admis au Paradis près de Dieu et dans ce but appliquent les conseils donnés par l'Église. Contre ceux qui refusent de suivre ses lois, L'Église utilise l'excommunication, décision qui exclut l'opposant de la société et qui fait de lui un hors-la-loi. Elle s'occupe de l'assistance aux pauvres et de l'enseignement et tente de limiter la durée des guerres. Pour récupérer Jérusalem, où se trouve le tombeu du Christ et les territoires occupés par les musulmans en Terre Sainte, elle lance les croisades.

UNE VIE QUOTIDIENNE DIFFICILE

Les maisons, en bois ou en torchis, protègent mal du froid. La pierre, trop chère, n'est utilisée que pour les châteaux, les églises et les hôtels de ville. Les incendies y sont fréquents : en vingt-cinq ans, de 1200 à 1225, Rouen brûle six fois ! À la campagne, les maisons n'ont qu'une seule pièce. En ville, les artisans tiennent boutique au rez-de-chaussée de leur maison qui compte parfois une chambre ou une salle à manger. Le mobilier est très simple : une table, quelques bancs et tabourets, un coffre, un lit, garni d'un matelas de feuilles, de laine ou de coton et recouvert d'une couverture.

La nourriture, à base de pain, de galettes et de bouillies de seigle ou d'orge est peu variée et peu abondante. Seuls les seigneurs mangent fréquemment du petit gibier et de la volaille. La terre rapporte peu et les famines sont fréquentes.

À partir du XIᵉ siècle, l'accroissement de la population rend nécessaire de grands défrichements et permet une augmentation des surfaces cultivées. Avec l'augmentation des échanges et du commerce les villes se développent et se dotent de monuments : Paris (1163-1245) et Chartres (1194-1260) construisent leur cathédrale. En 1328, Paris, avec 200 000 habitants, est la ville la plus peuplée d'Europe ; Londres compte seulement 40 000 habitants.

Les premières universités apparaissent. Celle de Paris, fondée au début du XIIIᵉ siècle, regroupe au Quartier Latin les étudiants et les maîtres venus de toute l'Europe.

À retenir

À partir du XIᵉ siècle : augmentation de la population.

À partir du XIIᵉ siècle :
– grands défrichements,
– construction des cathédrales.

LA LITTÉRATURE SE TRANSFORME

En même temps qu'elle abandonne le latin pour la langue romane, parlée en France à cette époque, la littérature, à partir de la fin du XIᵉ siècle, abandonne les sujets religieux. **La chanson de geste** apparaît à la fin du XIᵉ siècle avec *La Chanson de Roland* qui conte les exploits idéalisés de Charlemagne et de ses vassaux. Elle appartient au genre épique et relate en un long poème les exploits héroïques des chevaliers des siècles passés.

La littérature courtoise naît dans les cours du sud de la France. Elle se présente d'abord sous forme de poèmes chantés de château en château par les troubadours, qui sont à la fois poètes et musiciens. Elle vante les exploits

accomplis par les chevaliers pour l'amour d'une dame.
La courtoisie devient ensuite le thème du roman, œuvre
qui tire son nom de la langue dans laquelle il est écrit.
Chrétien de Troyes (1135-1190), auteur de romans
en vers tels *Yvain ou le Chevalier au lion*, *Lancelot
ou le Chevalier à la charrette* et *Le Conte du Graal*
– dont vous avez peut-être lu des extraits – est
le symbole de ce roman courtois. À cette époque
apparaît **le fabliau**, qui utilise le rire pour ridiculiser
les différents acteurs de la société française.
C'est des fabliaux que, malgré son nom, *Le Roman de
Renart* est le plus proche.

À retenir

**La Chanson
de Roland
(XIe siècle) :**
une épopée
et une chanson
de geste.

**Chrétien
de Troyes :**
le roman
courtois.

Le fabliau :
une critique
de la société.

Le Roman de Renart, une œuvre unique et satirique

Une composition unique pour un « roman » unique

Chaque épisode du *Roman de Renart* que vous avez lu appartient à une **branche**, c'est-à-dire une série d'histoires de Renart formant un ensemble indépendant. Composés entre 1170 et 1270 par une vingtaine d'auteurs, ces poèmes aux vers de huit syllabes ont vu leur succès assuré par les jongleurs et les trouvères, poètes et musiciens qui, de château en château, récitaient les fameuses aventures du goupil. À la fin du XIIIe siècle, des copistes rassemblèrent dans un même manuscrit tous les poèmes ayant Renart pour sujet.

Le Roman de Renart s'inscrit dans la tradition des fables grecques et latines d'Ésope et de Phèdre et dans celle des poèmes médiévaux composés dans les monastères. L'*Ysengrimus* du moine flamand Nivard qui conte, en latin et en vers, les aventures de Reinardus le goupil et d'Ysengrimus le loup en est l'inspirateur le plus proche. *Le Roman de Renart*, rédigé non plus en latin mais en langue romane – le français parlé à cette époque – est alors accessible à tous. Renart devient un personnage célèbre dont les aventures divertissent les auditeurs.

À retenir

Des histoires composées de 1170 à 1270 environ et transmises oralement.

Un récit rédigé en « roman », inspiré des fables grecques et latines et d'un récit en latin et en vers, l'*Ysengrimus*.

Ésope : fabuliste grec, v. p. 136.

Phèdre : fabuliste latin, v. p. 137.

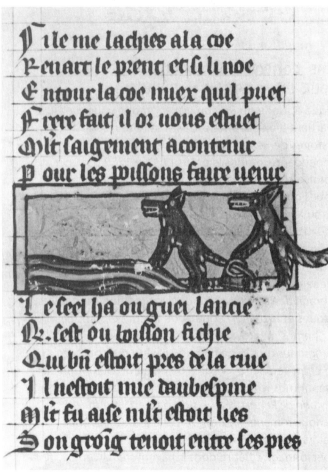

ſ ile me laches a la cœ
Renart le prent et ſi li noe
Entour la cœ miex quil puet
Frere fait il or nous eſtuet
Mlt ſaigement acontenir
Pour les poiſſons faire venir

Le ſecl ha ou guei lance
Ne ceſt ou boiſſon fichie
Qui bñ eſtoit pres de la rue
Il neſtoit mie daubeſpine
Mlt fu aiſe nuſt eſtoit lies
Son groig tenoit entre ſes pies

Le Roman de Renart, **parchemin du** XIVᵉ **siècle.**

UNE ŒUVRE SATIRIQUE

Rapidement, *Le Roman de Renart* cesse d'être uniquement un divertissement et apparaît comme une satire* de la société médiévale. Ce côté satirique est lié à l'habileté des auteurs et à la place qu'ils ont donnée à l'œuvre parmi les genres littéraires existant à cette époque. *Le Roman de Renart* peut prétendre rivaliser avec la chanson de geste* et le genre épique dont il se présente comme une sorte de négatif comique. Le roi Noble et ses vassaux n'accomplissent aucun exploit héroïque ; Renart, vassal de Noble, ne cesse de trahir le serment de fidélité prêté à son roi et son idéal est à l'opposé de celui des chevaliers : il remplace la loyauté par la trahison, la générosité par le vol ; à la protection des faibles Renart préfère l'attaque. L'imitation de la chanson de geste sur un mode comique et le passage du monde humain au monde animal permet une parodie* de la société féodale.

C'est aussi en parodie du roman courtois que s'inscrit *Le Roman de Renart*. Seul lien avec celui-ci : le titre. Car le « chevalier » Renart ne vise pas la perfection morale. Ses exploits ne sont dédiés à aucune dame : pour toutes il n'éprouve que du mépris. Cette parodie de la chanson de geste et du roman courtois s'inscrit dans le cadre plus général d'une satire de la société et rattache *Le Roman de Renart* aux fabliaux, petites fables dont le but est de distraire les hommes tout en dénonçant leurs défauts. Mais *Le Roman de Renart* dépasse les fabliaux : il ne se contente pas d'une critique des différentes classes sociales envisagées dans leur ensemble, il crée des personnages qui prennent valeur de type universel et oblige le lecteur d'aujourd'hui à s'interroger sur le monde qui l'entoure.

Vocabulaire

satire : critique moqueuse d'une personne, d'une société ou d'un fait de société.

chanson de geste : œuvre dans laquelle sont racontés les exploits guerriers de héros.

parodie : imitation comique qui accentue les défauts d'une institution, d'une coutume…

À retenir

Le Roman de Renart :
– une parodie des chansons de geste et des romans courtois ;
– une satire de la société à travers le comique.

Groupement de textes :
Pour une petite histoire du corbeau et du renard

Plus qu'à l'épisode du *Roman de Renart* qui met en scène les aventures de Tiécelin et Renart, c'est à la fable de La Fontaine que le corbeau et le renard doivent leur célébrité. En fait, les auteurs du *Roman de Renart*, tout comme La Fontaine, ne sont que les maillons d'une longue chaîne qui, sur près de vingt-cinq siècles, d'Ésope à Pierre Perret, utilise l'histoire du corbeau et du renard pour mettre en garde contre les flatteurs et les trompeurs de tout genre.

ÉSOPE

Ce fabuliste grec, qui vécut au VIe siècle avant J.-C., est le premier à laisser une trace écrite de cette fable, dont certains estiment qu'elle serait, comme beaucoup d'autres, originaire d'Asie.

Le Corbeau et le Renard

Un corbeau, ayant volé un morceau de viande, s'était perché sur un arbre. Un renard l'aperçut, et, voulant se rendre maître de la viande, se posta devant lui et loua ses proportions élégantes et sa beauté, ajoutant que nul n'était mieux fait que lui pour être le roi des oiseaux, et qu'il le serait devenu sûrement, s'il avait de la voix. Le corbeau, voulant lui montrer que la voix non plus ne lui manquait pas, lâcha la viande et poussa de grands cris. Le renard se précipita et, saisissant le morceau, dit : « Ô corbeau, si tu avais aussi du jugement, il ne te manquerait rien pour devenir le roi des oiseaux. »
Cette fable est une leçon pour les sots.

Ésope, *Fables*, 165, traduction d'Émile Chambry,
« Les Belles Lettres », Paris, 1927.

136

PHÈDRE

Fabuliste latin, originaire de Thrace, Phèdre (15 avant J.-C.–
50 après J.-C.) fut d'abord esclave avant d'être affranchi par
l'empereur Auguste. Il adapta en vers la fable d'Ésope,
transforma la viande en fromage et y adapta une réelle morale.
La place de Phèdre dans l'histoire littéraire est importante,
surtout parce qu'il a été l'inspirateur de La Fontaine.

Le Corbeau et le Renard

Aime-t-on à être loué dans des discours qui cachent un piège ?
On est ordinairement puni par des regrets et par la honte.
Le corbeau avait enlevé sur une fenêtre un fromage. Il allait le
manger, perché sur le haut d'un arbre, lorsque le renard, le
voyant se mit à lui adresser ces flatteuses paroles : « Combien, Ô
corbeau ton plumage a d'éclat ! Que de beauté répandue sur ta
personne et dans ta physionomie ! Si tu avais aussi la voix, nul
oiseau ne te serait supérieur. » Le corbeau, dans sa sottise, en
voulant montrer sa voix, laissa tomber le fromage de son bec, et
prestement le rusé renard s'en empara de ses dents avides. Alors
seulement le corbeau gémit de s'être laissé tromper par sa
stupidité.
Cette histoire montre combien l'intelligence a de la force ; sur
la vaillance, toujours l'emporte la sagesse.

> Phèdre, *Fables*, I, 13, traduction d'Alice Brenot,
> « Les Belles Lettres », Paris, 1961.

MARIE DE FRANCE

Première femme poétesse de notre histoire littéraire, Marie de
France (1154-1189) a vraisemblablement vécu en Angleterre.
Davantage connue pour ses lais (petits poèmes qui parlent
d'amour) que pour ses *Fables*, Marie de France apporte un
enrichissement psychologique au corbeau et au renard et
rédige sa morale à l'attention d'un type social, les orgueilleux.

Le Corbeau et le Renard

Il est arrivé – et c'est fort possible –
que devant une fenêtre
d'un cellier
passa en volant un corbeau ; il a aperçu
des fromages qui se trouvaient à l'intérieur
et étaient placés sur une claie.
Il en a pris un, et le voilà, qui s'envole avec le tout.
Un renard survint et le rencontra.
En ce qui concerne le fromage,
il désirait vivement pouvoir en manger sa part ;
en recourant à une ruse il voudra essayer
s'il pourra tromper le corbeau.
« Ah ! Seigneur Dieu !, dit le renard,
cet oiseau est tellement beau
il n'y en a pas de tel au monde !
Jamais de mes yeux je n'en vis d'aussi beau.
Si son chant ressemblait à son corps,
il vaudrait plus que n'importe quelle pièce en or fin. »
Le corbeau s'entendit dire en des termes si élogieux
que, dans le monde entier, il n'avait pas son égal
qu'il décida de chanter :
ce n'est pas faute de chanter qu'il perdrait la gloire.
Il ouvrit le bec et chanta :
le fromage lui échappa.
Il ne manqua pas de tomber à terre,
et le renard va s'en emparer.
Il ne se soucia plus du chant du corbeau,
car c'est le fromage qu'il désirait.
C'est l'histoire des orgueilleux
qui recherchent une grande gloire :
par la flatterie et le mensonge
on peut fort bien les servir et leur être agréable ;
ils dépensent stupidement leur bien
à cause des louanges hypocrites des gens.

Marie de France, *Fables*, édition critique de Charles Brucker-éditions Peeters, Louvain, Belgique, 1991.

(Dans le texte en ancien français, le mot de renard n'est bien évidemment pas utilisé ; la poétesse emploie celui de goupil.)

LE ROMAN DE RENART

C'est ici qu'il faut placer l'épisode du *Roman de Renart*, peut-être inspiré de la fable de Marie de France. Les personnages, ici, ont une identité propre, un nom, et ne sont plus un renard et un corbeau de rencontre (voir texte p. 9 à 118).

JEAN DE LA FONTAINE

Jean de La Fontaine (1621–1695) est le plus célèbre fabuliste de tous les temps et sa fable, *Le Corbeau et le Renard*, est dans toutes les mémoires. La vivacité naturelle des dialogues, le charme à peine esquissé des personnages, la concision parfaite de la scène font de cette fable un modèle du genre.

Le Corbeau et le Renard

Maître Corbeau, sur un arbre perché,
Tenait en son bec un fromage.
Maître Renard, par l'odeur alléché,
Lui tint à peu près ce langage :
« Hé bonjour, Monsieur du Corbeau.
Que vous êtes joli ! que vous me semblez beau !
Sans mentir, si votre ramage
Se rapporte à votre plumage,
Vous êtes le Phénix des hôtes de ces bois. »
À ces mots, le Corbeau ne se sent pas de joie ;
Et pour montrer sa belle voix,
Il ouvre un large bec, laisse tomber sa proie.
Le Renard s'en saisit, et dit : « Mon bon Monsieur,
Apprenez que tout flatteur
Vit aux dépens de celui qui l'écoute.
Cette leçon vaut bien un fromage, sans doute. »
Le Corbeau honteux et confus
jura, mais un peu tard, qu'on ne l'y prendrait plus.

La Fontaine, *Fables*, Livre premier, 1668.

HENRI RICHER

Henri Richer, dans ses *Fables nouvelles mises en vers*, invoque « *l'illustre La Fontaine* » sous le patronage duquel il se place. Sa fable se veut une sorte de réponse à celle de La Fontaine.

Le Corbeau et le Renard

Maître Corbeau voyant maître Renard
Qui portait un morceau de lard,
Lui dit : « Que tiens-tu là, compère ?
À mon avis c'est un très mauvais plat.
Je te croyais d'un goût plus délicat.
Quand tu peux faire bonne chère,
T'en tenir à du lard ! Tu n'es qu'un pauvre hère[1].
Regarde près d'ici ces poules, ces canards.
Voilà le vrai gibier de Messieurs les Renards.
As-tu donc oublié ton antique prouesse ?
Je t'ai vu cependant jadis un maître escroc.
Crois-moi, laisse ton lard : ces poules te font hoc[2]
Si tu veux employer le quart de ton adresse. »
Maître Renard ainsi flatté,
Comme un autre animal sensible à la louange,
Met bas sa proie, et prend le change :
Mais sa finesse et son agilité
Ne servirent de rien : car la gent volatile
Gagna le poulailler, son ordinaire asile.
Notre Renard retourne à son premier morceau.
Mais il fut bien honteux, de voir maître Corbeau,
Qui le mangeait, perché sur le branchage
D'un arbre sec, et qui lui dit : « Ami,
À trompeur, trompeur et demi.
Te souvient-il de ce fromage
Que tu m'escroquas l'autre jour ?
Je fus un sot alors ; et tu l'es à ton tour. »

Henri Richer, *Fables nouvelles mises en vers*, Paris,
Étienne Ganeau, 1729.

---

1. qu'un pauvre hère : qu'un pauvre homme.
2. te font hoc : qui te conviennent.

Pour une petite histoire du corbeau et du renard

LESSING

Lessing (1729–1781) est un auteur allemand. La version qu'il donne de l'histoire du corbeau et du renard est tout à fait personnelle.

Le Corbeau et le Renard

Un Corbeau emportait dans ses griffes un morceau de viande empoisonnée que le jardinier en colère avait jeté par terre pour les chats de ses voisins.

Et, au moment où il voulut le dévorer sur un vieux chêne, un Renard s'approcha furtivement et lui cria :

– Sois béni oiseau de Jupiter.

– Pour qui me prends-tu ? demanda le Corbeau.

– Pour qui est-ce que je te prends ? répliqua le Renard. N'es-tu pas l'aigle vigoureux qui chaque jour quitte la droite de Zeus pour ce chêne, afin de nourrir un misérable comme moi ? Pourquoi te rends-tu méconnaissable ? Est-ce que je ne vois pas dans ta griffe victorieuse le don tant quémandé et que ton dieu continue à m'envoyer par ton intermédiaire ?

Le Corbeau s'étonna et se réjouit intérieurement d'être pris pour un aigle. Je ne dois pas, pensait-il, tirer le Renard de son erreur. Généreux, par sottise, il laissa tomber sa proie, et s'en alla fier de lui. Le Renard attrapa la viande en riant, et la dévora avec une joie mauvaise. Cependant la joie se changea bientôt en une sensation douloureuse. Le poison commença à agir et il creva.

Que vous ne puissiez jamais acquérir par vos louanges que du poison, maudits flatteurs !

Gotthold Ephraïm Lessing, *Gedichte und Fabeln*, 1759,
traduction de Marie-Hélène Robinot, © Hachette Livre Éducation.

PIERRE PERRET

Et voici, pour finir, la version en argot de Pierre Perret.

Le Corbeau et le Renard

I
Maître Corbeau sur un chêne mastard
Tenait un fromton dans l'clapoir
Maître Renard reniflait qu'au balcon
quelque sombre zonard débouchait les flacons
Il dit : Salut Corbac, c'est vous que je cherchais
Pour vous dir' que sans vous fair' mousser le bréchet
À côté du costard que vous portez mon cher
La robe du soir du Paon est une serpillière.

Refrain
Pauvre corbeau
tu t'es bien fait avoir
Mais quelle idée de becqueter sur un chêne
Et vu qu'tu chant's comm' la rein' des passoir's
C'est bien coton d'en vouloir au renard

II
Quand vous chantez il paraîtrait sans charre
Que les merles en ont des cauch'mards
Lors à ces mots plus fier que sa crémièr'
le corbeau ouvrit grand son piège à vers de terre
Pour montrer qu'il pouvait chanter rigoletto
Cette grain' de patat' lâcha son calendo
Le renard l'engloutit en disant c'est navrant
il est pas fait à cœur je l'préfèr' plus coulant

Refrain
Pauvre corbeau tu t'es bien fait avoir
Mais quelle idée de becqueter sur un chêne
Et vu qu'tu chant's comm' la rein' des passoir's
C'est bien coton d'en vouloir au renard
On est forcés de r'connaîtr' en tout cas

Pour une petite histoire du corbeau et du renard

Que cett' histoire de Monsieur d'la Fontaine
Rendit prudents les chanteurs d'opéra
Et c'est depuis qu'ils chantent la bouch' pleine

Avec l'aimable autorisation des éditions Adèle.

Bibliographie, discographie et filmographie

Une version complète du Roman de Renart

Paulin Paris, *Le Roman de Renart*, coll. « Folio Junior », Gallimard, 1997, 2 tomes (traduction de 1861).

Une version à mi-chemin entre le texte illustré et la bande dessinée

Jean-Claude Forest et Max Cabanes, *Le Roman de Renart*, Futuropolis, Paris, 1985.

Des livres pour connaître l'époque du Roman de Renart

Philippe Brochard, *À l'Abri des châteaux du Moyen Âge*, coll. « La Vie privée des Hommes », Hachette Jeunesse, 1980.
Giovanni Caselli, *Des Celtes aux Chevaliers du Moyen Âge*, coll. « La Vie privée des Hommes », Hachette Jeunesse, 1982.
Gaston Duchet-Suchaux, Michel Pastoureau, *Les Châteaux forts*, coll. « En savoir plus », Hachette Éducation, 1994.
Pierre Miquel, *Au temps des chevaliers et des châteaux forts*, coll. « La Vie privée des Hommes », Hachette Jeunesse, 1976.

Discographie

Le Roman de Renart, éditions la Voix de son livre, V.S.L. Distribution, Grenoble, coffret de plusieurs cassettes.

Filmographie

Le Roman de Renart, film français de Ladislas Starevitch (1928). Un spectacle exceptionnel de marionnettes.

Imprimé en Italie par Rotolito Lombarda
Dépôt légal : Novembre 2010 - Collection 63 - Edition 15 - 16/7836/6